APUNTES PASTORALES

DATE DUE

APUNTES PASTORALES

Una guía esencial para el estudio de las escrituras.

Hechos

¡Español!

BROADMAN
& HOLMAN
PUBLISHERS

Versión Reina-Valera, revisión de 1960
Texto bíblico © Copyright 1960,
Sociedades Bíblicas en América Latina.
Publicado por Broadman & Holman Publishers,
Nashville, Tennessee 37234

1 2 3 4 5   02 01 00 99 98

CONTENIDO

Estimado lector:

Apuntes Pastorales ha sido diseñado para proporcionarle, paso a paso, un vistazo panorámico de todos los libros de la Biblia. No pretende sustituir al texto bíblico; más bien, es una guía de estudio cuya intención es ayudarle a explorar la sabiduría de las Escrituras en un estudio personal o en grupo y a aplicar esa sabiduría con éxito a su propia vida.

Apuntes Pastorales le guían a través de los temas principales de cada libro de la Biblia y aclaran detalles fascinantes por medio de comentarios y notas de referencias apropiados. La información de los antecedentes históricos y culturales dan un enfoque especial al contenido bíblico.

A lo largo de la serie se han usado seis diferentes iconos para llamar la atención a la información histórica y cultural, referencias al Antiguo y al Nuevo Testamentos, imágenes verbales, resúmenes de unidades y aplicaciones personales para la vida cotidiana.

Ya sea que esté dando usted los primeros pasos en el estudio de la Biblia o que sea un veterano, creo que encontrará en *Apuntes Pastorales* un recurso que lo llevará a un nuevo nivel en su descubrimiento y aplicación de las riquezas de las Escrituras.

Fraternalmente en Cristo,

David R. Shepherd
Director Editorial

DISEÑADO PARA EL LECTOR OCUPADO

Apuntes Pastorales sobre el libro Hechos de los Apóstoles ha sido diseñado para proporcionale una herramienta fácil de usar a fin de poder captar las características importantes de este libro y para lograr una buena comprensión del mensaje de Hechos. La información que aparece en obras de referencia más difíciles de usar ha sido incorporada en el formato de *Apuntes Pastorales*. Esto le brinda los beneficios de obras más avanzadas y extensas concentrados en un tomo pequeño.

Apuntes Pastorales es para laicos, pastores, maestros, líderes y participantes de pequeños grupos, al igual que para el alumno en el salón de clase. Enriquezca su estudio personal o su tiempo de quietud. Acorte el tiempo de preparación para su clase o pequeño grupo al ir captando valiosas percepciones de las verdades de la Palabra de Dios que puede transmitir a sus alumnos o miembros de su grupo.

DISEÑADO PARA SER DE FACIL ACCESO

Las personas con tiempo limitado apreciarán especialmente las ayudas que ahorran tiempo, incorporadas en *Apuntes Pastorales*. Todas tienen la intención de lograr un encuentro rápido y conciso con el corazón del mensaje de estos libros.

Comentario conciso. Hechos está repleto de personajes, lugares y acontecimientos. Las breves secciones proporcionan "fotos" instantáneas de las narraciones y los argumentos del apóstol Pablo, recalcando puntos importantes y otra información.

Texto bosquejado. Un bosquejo extenso abarca el texto completo de Hechos. Esta es una valiosa ayuda para poder seguir la fluidez de la narración, dando una manera rápida y fácil de localizar algún pasaje en particular.

Apuntes Pastorales. Son declaraciones resumidas que aparecen al final de cada sección clave de la narración. Aunque sirven en parte como un rápido resumen, también brindan la esencia del mensaje presentado en las secciones que cubren.

Iconos. Varios iconos en el margen recalcan temas recurrentes en Hechos y ayudan en la búsqueda o ubicación de esos temas.

Acotaciones al margen y cuadros. Estas ayudas, seleccionadas especialmente, brindan información adicional de trasfondo a su estudio o preparación. Contienen definiciones tanto como observaciones culturales, históricas y bíblicas.

Mapas. Se encuentran en los lugares apropiados en el libro para ayudarle a comprender y estudiar determinados textos o pasajes.

Preguntas para guiar su estudio. Estas preguntas que motivan a pensar y que sirven para comenzar un diálogo, han sido diseñadas para estimular la interacción con las verdades y los principios de la Palabra de Dios.

DISEÑADO PARA QUE TRABAJA PARA USTED

Estudio personal. Usar *Apuntes Pastorales* junto con un pasaje bíblico puede arrojar luz sobre su estudio y llevarlo a un nuevo nivel. Tiene a la mano información que le requeriría buscar en varios tomos para encontrarla. Además, se incluyen muchos puntos de aplicación a lo largo del tomo, lo que contribuye a su crecimiento personal.

Para enseñar. Los bosquejos enmarcan el texto de Hechos y proporcionan una presentación lógica del mensaje. Los pensamientos "en cápsulas" redactados como *Apuntes Pastorales* brindan declaraciones resumidas para presentar la esencia de puntos y acontecimientos clave. Los iconos que simbolizan aplicación destacan la aplicación personal del mensaje de Hechos. Los iconos que apuntan al contexto histórico y al contexto cultural indican dónde aparece la información de trasfondo.

Estudio en grupo. Apuntes Pastorales puede ser un excelente tomo complementario para usar a fin de obtener una comprensión rápida y precisa del mensaje de un libro de la Biblia. Cada miembro del grupo se beneficiará al tener su propio ejemplar. El formato de *Apuntes* facilita el estudio y la ubicación de los temas a lo largo de Hechos. Los líderes pueden usar sus características flexibles para preparar las sesiones del grupo o para usarla en el desarrollo de las mismas. Las preguntas para guiar su estudio pueden generar el diálogo de los puntos y verdades clave del mensaje de Hechos.

LISTA DE ICONOS USADOS EN EL MARGEN DE HECHOS

Apuntes Pastorales. Aparece al final de cada sección. Es una declaración "en cápsula" que provee al lector la esencia del mensaje de esa sección.

Referencia al Antiguo Testamento. Se usa cuando el escritor hace referencia a pasajes del Antiguo Testamento que se relacionan con el pasaje o que inciden sobre la comprensión o interpretación del mismo.

Referencia al Nuevo Testamento. Se usa cuando el escritor hace referencia a pasajes del Nuevo Testamento que se relacionan con el pasaje o que inciden sobre la comprensión o interpretación del mismo.

Antecedente histórico. Se emplea para indicar una información histórica, cultural, geográfica o biográfica que arroja luz sobre la comprensión o interpretación de un pasaje.

Aplicación personal. Usado cuando el texto brinda una aplicación personal o universal de una verdad.

Imagen verbal. Indica que el significado de una palabra o frase específica es ilustrada a fin de arrojar luz sobre ella.

La iglesia apareció en forma espontánea. Así fue como sucedió. Ninguna *persona* humana se dedicó a formarla

El objetivo básico de Hechos es mostrar la expansión sin obstáculos que experimentó la iglesia a través de mundo romano. Lucas obviamente pretende mostrar que esta expansión ocurrió en el poder del Espíritu Santo que se manifestó a medida que el evangelio penetraba barreras geográficas, sociales, raciales y religiosas. Este relato es el informe de Lucas de cómo el Espíritu Santo trabajó a través de hombres y mujeres para proclamar y vivir la noticia que Dios vino para todos los pueblos del mundo.

EL AUTOR

Lucas es el escritor tanto de Hechos como del Evangelio que lleva su nombre. Fue un amigo íntimo y compañero de viajes de Pablo. Muchos eruditos creen que Lucas escribió su Evangelio y Hechos estando con Pablo en Roma durante el primer encarcelamiento del apóstol. Parece que Lucas permaneció cerca o con Pablo en ese tiempo, porque Pablo escribió en 2 Tim. 4:11: "Sólo Lucas está conmigo."

La autoría de Lucas como escritor de Hechos fue aceptada casi de manera general hasta que se desarrolló el método de la crítica textual. A pesar de algunas objeciones recientes respecto a Lucas como autor de Hechos, la antigua opinión de la iglesia primitiva mantiene su vigencia.

LA PERSONA DE LUCAS

Lo más probable es que Lucas fuera un gentil. La referencia que Pablo hace en Col. 4:14 señala que Lucas era médico. No se conocen otras referencias

La aceptación de Lucas como escritor de Hechos se mantuvo sin mayores cuestionamientos en la iglesia primitiva. Entre líderes de esa época como Ireneo, Clemente de Alejandría y Eusebio era aceptado que Lucas era el autor de este libro. El Canon Muratori (190 d. J.C.) señala a Lucas como el escritor de Hechos.

históricas en cuanto a su origen. Sin embargo, el prólogo antimarcionita al Evangelio de Lucas, que data del siglo II d. J.C., afirma que era nativo de Antioquía de Siria, que nunca se casó y que murió en Beocia a los 84 años.

"Teófilo"

Algunos sostienen que este nombre era simplemente una generalización como "querido lector". Otros prefieren pensar en él como una persona real y como el pilar de una iglesia. El nombre Teófilo significa "amigo de Dios".

DESTINATARIOS

¿Desde dónde y para quiénes escribió Lucas el libro de Hechos? Estas preguntas quizá no tengan respuesta. Lucas dedicó su libro a Teófilo, que es un nombre griego. ¿Escribió en primer lugar para los gentiles? De ser así, ¿por qué se preocupaba tanto por las preguntas de los judíos? ¿Por qué presenta las detalladas pruebas mesiánicas sobre el sermón de Pedro en Hechos 2 y 3, si no es porque quería dar a sus lectores un modelo para testificar a los judíos? La respuesta más adecuada es que Lucas dirigió su trabajo a comunidades cristianas compuestas de judíos y gentiles. Eran congregaciones mixtas como las que encontramos con frecuencia en las epístolas de Pablo.

PROPOSITO

La declaración de Lucas en los primeros dos versículos de Hechos contrasta el objetivo de su Evangelio con el objetivo de Hechos. El Evangelio de Lucas es un relato de lo que Jesús comenzó a hacer y enseñar hasta el momento de su ascensión. El libro de Hechos es un relato de la continuación del trabajo de Jesús a través de la obra del Espíritu Santo en la iglesia primitiva. Lucas trazó el desarrollo de su Evangelio desde su comienzo en Jerusalén hasta el mero centro de poder en el imperio: La ciudad de Roma.

FECHA EN QUE FUE ESCRITO

Esta fecha está relacionade con la del Evangelio. Ambos libros tienen el mismo autor, siendo el Evangelio el primero de un trabajo de dos volúmenes. Probablemente el Evangelio fue escrito al comienzo de la década de los años 60 d. J. C. El factor que más pesa a favor de esta fecha es la manera abrupta en que termina Hechos. La explicación más convincente es que Lucas terminó este libro estando aún Pablo en prisión, porque el proceso de su encarcelamiento todavía no había sido resuelto. El hecho de que Pablo había pasado dos años (Hch. 28:30) en una cárcel romana al terminar de escribirse este libro, ayuda a ubicar la fecha a comienzos de los sesenta. En ese momento, Pablo aún seguía sin ser juzgado. El emperador Nerón no había desatado su ira contra los cristianos, como lo hizo el año 64 d. J.C. Por consiguiente, Lucas escribió Hechos al comienzo de los sesenta.

ESTRUCTURA

En Hechos se pueden establecer dos partes: La misión de la iglesia de Jerusalén (caps. 1-12), y la misión de Pablo (caps. 13-28). Cada parte puede subdividirse en dos secciones principales. En la parte de Jerusalén, los capítulos 1-5 tratan sobre la primitiva iglesia en Jerusalén, y los capítulos 6-12 se refieren a su expansión más allá de esa ciudad. En la sección paulina, que va desde el 13:1 hasta el 21:16 se relatan los tres grandes viajes misioneros de Pablo, y desde el 21:17 al 28:31 se ocupa de la defensa que Pablo hace de su ministerio.

FORMA LITERARIA

Hechos es un relato histórico con un objetivo definido. Lucas no estaba interesado en resaltar cada faceta del desarrollo de la iglesia primitiva, sino que quería concentrarse en analizar la forma en que el evangelio se había extendido desde Jerusalén hasta Roma. También le dedica mucha atención al trabajo y al ministerio de Pablo. Aunque Lucas tenía un objetivo teológico

3

al escribirlo, es evidente que Hechos contiene información histórica valiosa y confiable.

ESQUEMA BASICO DE HECHOS DE LOS APOSTOLES

I. Pedro: Misionero a los judíos (1:1–12:24)

   A. La Iglesia Primitiva en Jerusalén (1:1–5:42)

   B. La expansión más allá de Jerusalén (6:1–12:24)

II. Pablo: Misionero a los gentiles (12:25–28:31)

   A. Los tres grandes viajes misioneros de Pablo (13:1–21:16)

   B. Pablo y la defensa de su ministerio (21:17–28:31)

PROLOGO (1:1-5)

Prólogo literario (vv. 1, 2)

Es evidente que Hechos es una continuación del Evangelio de Lucas, al cual el autor se refiere como "el primer tratado". Lucas también dedica este libro a Teófilo.

Lucas nos ofrece un interesante resumen de su Evangelio y de su relación con Hechos. Su Evangelio contiene "todo lo que Jesús comenzó a hacer y a enseñar". De aquí puede inferirse que su trabajo había quedado inconcluso. Lo cierto es que el trabajo y las palabras de Jesús continúan a través de Hechos en el ministerio de los apóstoles y de otros testigos fieles. Y ese trabajo aún continúa en la obra de la iglesia hoy en día.

Como suele suceder con cualquier obra en dos tomos, hay una cuidadosa superposición de modo que el lector mantenga la secuencia. El texto que conecta ambos libros es el que se refiere a la ascensión de Jesús. Antes de que Jesús volviera al Padre, dio mandamientos a sus discípulos (ver Lc. 24:44-49). El ministerio del Espíritu Santo se convirtió pronto en una realidad en la vida de los apóstoles. El Espíritu Santo los habilitaría y les daría poder para llevar a cabo las nuevas tareas encomendadas.

Instrucciones antes de Pentecostés (vv. 3-5)

Durante cuarenta de los más increíbles días que la tierra ha experimentado, el Cristo resucitado se presentó vivo ante muchos. Cientos de personas le habían visto morir. Ahora, para refutar a sus detractores, y más aún para cimentar a sus discípulos, Jesús resucitado llevó a cabo un ministerio de apariciones personales.

"Muchas pruebas convincentes"

Durante estos cuarenta días Jesús dio "muchas pruebas convincentes" de que estaba vivo. La palabra griega para "pruebas" proviene de lógica y significa prueba demostrativa o evidencia.

Los diez sermones principales en Hechos

REFERENCIAS EN HECHOS	AUDIENCIA	VERDADES CENTRALES
Sermones misioneros de Pedro: 1. Hechos 2:14-41	Un grupo internacional de judíos piadosos presentes en Jerusalén cuando ocurrió Pentecostés.	Los dones del Espíritu Santo demuestran que ahora es el tiempo de salvación. La resurrección de Jesús certifica su papel como Mesías.
2. Hechos 3:11-26	Una multitud de judíos en el templo de Jerusalén.	El poder sanador del nombre de Jesús demuestra que él está vivo y obrando. Aquellos que rechazan al Mesías por ignorancia, aún pueden arrepentirse.
3. Hechos 10:27-48	El centurión gentil Cornelio y su familia.	Dios acepta a personas de todas las razas que respondan por fe al mensaje de evangelio.
El sermón de Esteban: 4. Hechos 7:1-60	El Sanedrín.	Dios se reveló a sí mismo fuera de la Tierra Santa. El pueblo de Dios coronó una historia de rechazo de los líderes que él les enviaba al matar al Mesías.
Sermones misioneros de Pablo: 5. Hechos 13	Judíos en la sinagoga de Antioquía de Pisidia.	Los sermones misioneros de Pablo ilustran el cambio de enfoque que se le dio al trabajo misionero inicial: Primero evangelizar a los judíos, segundo evangelizar a los gentiles, tercero desarrollo de líderes cristianos.
6. Hechos 17	Griegos paganos en el Areópago de Atenas.	
7. Hechos 20	Líderes cristianos de la iglesia de Efeso.	

Los diez sermones principales en Hechos

REFERENCIAS EN HECHOS	AUDIENCIA	VERDADES CENTRALES
Sermones de defensa de Pablo: 8. Hechos 22:1-21	Asistentes que colmaban el templo de Jerusalén.	Los sermones de Pablo en defensa de su ministerio enfatizaban que era inocente de cualquier violación de la ley romana. Le juzgaban por su convicción de que Jesús había resucitado y lo había comisionado como misionero a los gentiles.
9. Hechos 24:10-21	El gobernador romano Félix y su corte.	
10. Hechos 26	El rey judío Agripa II y su corte.	

Breve cronología del trabajo de Pablo

FECHA	SUCESO
Verano del 44	Regreso de Pablo a Antioquía
Primavera del 45	Comienzo del primer viaje misionero
Verano del 47	Final del primer viaje misionero
Año 48	Concilio de Jerusalén
Verano del 49	Comienzo del segundo viaje misionero
Primavera del 53	Pablo ante Galión
Final del otoño del 53	Final del segundo viaje misionero
Primavera del 54	Comienzo del tercer viaje misionero
Final del verano de 54	Llegada de Pablo a Efeso
Verano del 57	Salida de Pablo de Efeso
Noviembre del 57	Llegada de Pablo a Corinto
Febrero de 58	Salida de Pablo de Corinto
Finales de abril del 58	Salida de Pablo de Filipos
Final del verano del 58	Pablo llega o Jerusalén. Fin del tercer viaje misionero. Lo arrestan.
Verano del 60	Pablo ante Festo
Final del verano del 60	Pablo embarca rumbo a Roma
Finales de octubre del 60	Naufragio en la isla de Malta
Finales de enero del 61	Pablo embarca para Italia
Comienzos de la primavera de 61	Llegada de Pablo a Roma
Año 63	Final de la prisión de Pablo

Viajes misioneros de Pablo y las cartas

LIBRO DE HECHOS	ACTIVIDAD	FECHA APROXIMADA	ESCRITO ENVIADO
9:1-9	Conversión de Pablo	34-35	
9:26-29	Visita a Jerusalén	37-38	
11:27-30	Segunda visita a Jerusalén	48	
13 y 14	Primer viaje (Chipre y Galacia)	48-50	Gálatas
15	Concilio de Jerusalén	50	
16:1–18:22	Segundo Viaje (Galacia, Macedonia, Grecia)	51-53	1, 2 Tesalonicenses
18:23–21:4	Tercer Viaje (Efeso, Macedonia, Grecia)	54-57	1, 2 Corintios, Romanos
21:15–26:32	Arresto en Jerusalén, juicios y prisión en Cesarea.	58-60	
27 y 28	Viaje a Roma, prisión	60-63	Filemón, Colosenses, Efesios, Filipenses
27 y 28	Liberación, más trabajo, prisión final y muerte	60–63	1 Timoteo, Tito, 2 Timoteo

Se presentó a sus discípulos para fortalecerlos a fin de que cumplieran la misión que les había encomendado. Con sus palabras y apariciones les confirmó que el mismo Dios que lo había resucitado a él, estaría con ellos mientras cumplían la gran comisión de ir por todo el mundo y hacer discípulos de las naciones.

■ *Durante cuarenta días después de la resurrec-*
■ *ción, Jesús apareció en persona a sus discípu-*
■ *los en muchas ocasiones. Las instrucciones*
■ *que les dio les infundieron valor y les dieron la*
■ *certeza de que contarían con su presencia y*
■ *poder en los días venideros.*

EL LEGADO DE CRISTO: EL LLAMADO A TESTIFICAR (1:6-8)

Los discípulos preguntaron a Jesús que cuándo sería restaurado el reino a Israel. Jesús dejó a un lado sus especulaciones y les dijo: Los "tiempos y las sazones" de tales cosas son propios del propósito y autoridad de Dios. Sin más los orientó a pensar en la tarea que se les confiaba de ser sus testigos. Les prometió poder para su tarea mundial. El versículo 8 proporciona un campo geográfico general: "En Jerusalén, en toda Judea, en Samaria y hasta lo último de la tierra."

LA ASCENSION DE CRISTO (1:9-11)

La ascensión es el cierre del ministerio terrenal de Cristo. Esto permitió que testigos oculares vieran tanto al Cristo resucitado y victorioso en la tierra, como al Cristo eterno volviendo al cielo para ministrar sentado a la diestra del Padre.

Aquí se contrasta el acto de Cristo de humillarse a si mismo al bajar del cielo a la tierra y morir crucificado, con el acto de Dios de exaltarlo.

■ *La ascensión de Jesús expandió el ministerio*
■ *de Cristo desde su limitadas dimensiones*
■ *geográficas terrenales a las nuevas dimen-*
■ *siones celestiales y universales. Ahora ocupa*
■ *la más alta posición en el universo, a cargo*
■ *de todo lo que existe y de todo lo que sucede.*

"Juntos unánimes"

Esta frase (en griego es una sola palabra) es un adverbio favorito de Lucas. Significa "de una sola mente". Lucas la usa diez veces en Hechos, resaltando unidad de propósito y se aplica a que eran "de un corazón y un alma" (4:32), un genuino compañerismo cristiano (1:14; 2:1; 4:24; 5:12; 15:25).

LA PREPARACION EN EL APOSENTO ALTO (1:12-14)

Los discípulos regresaron a Jerusalén desde el monte de los Olivos para esperar como Jesús les había ordenado. Se reunieron en el aposento alto de una casa palestina. Entre los presentes estaban, además de los once discípulos, las "mujeres", incluyendo a María, la madre de Jesús, y los hermanos de él. Su principal actividad fue orar. Era un tiempo de espera, y nada mejor que orar por el Espíritu que les había sido prometido, y por el poder para testificar.

RESTAURACION DEL GRUPO DE DOCE APOSTOLES (1:15-26)

Durante este período de oración y espera, uno de los asuntos principales fue restaurar el círculo apostólico de los doce. Como Pedro había asumido el liderazgo, dirigió la asamblea.

La defección de Judas (vv. 15.20)

"Sean sus días pocos; tome otro su oficio." Sal. 109:8 "Sea su palacio asolado; en sus tiendas no haya morador." Sal. 69:25

La deserción de Judas creó la necesidad de encontrar un sustituto. Pedro buscó en las escrituras del Antiguo Testamento la dirección divina que necesitaban. Citó el Salmo 109:8 como una profecía de que Jesús sería traicionado por un amigo. También citó el Salmo 69:25, el cual aplicó a la deserción de Judas de su puesto entre los apóstoles. Pedro consideró que el salmo se había cumplido fielmente.

La instalación de Matías (vv. 21-26)

Los requisitos que debía llenar el que substituyera a Judas eran: (1) Haber sido testigo de todo el ministerio de Jesús, desde su bautismo por Juan hasta su ascensión; y, por sobre todo, (2) haber sido testigo de su resurrección. La asamblea propuso dos nombres: José y Matías. Para elegir al sucesor de Judas oraron a Dios para que los guiara y luego echaron suertes. Esta recayó sobre Matías y se incorporó al grupo de los once apóstoles. A Matías no se le vuelve a mencionar en las Escrituras.

El nombre "Matías" significa "regalo de Dios".

- ■ *La asamblea de los discípulos eligió al reemplazante de Judas, el que traicionó a Jesús.*
- ■ *Después de orar y echar suertes, el grupo eligió a Matías como el nuevo apóstol.*

PREGUNTAS PARA GUIAR SU ESTUDIO

1. ¿Cuál es la relación que existe entre el libro de Hechos y el Evangelio de Lucas?
2. ¿De qué manera la ascensión cambió el ministerio de Jesús?
3. Los discípulos preguntaron a Jesús que cuándo sería restaurado el reino a Israel. ¿Qué implica la restauración del reino?

HECHOS 2 ·················

Pentecostés

Pentecostés es una de las celebraciones más antiguas del judaísmo, y tiene sus raíces en Levítico 23:15-21. A través de los años se le conoció con otros nombres, como fiesta de las semanas o fiesta de la primicias.
Comenzaba al terminar la época de la cosecha.
El nombre Pentecostés se debe a que comenzaba en el quincuagésimo día contando a partir del primer domingo después de la Pascua.

Estos eventos evocan imágenes del Antiguo Testamento. El viento fuerte y las lenguas de fuego eran símbolos comunes de la presencia de Dios, especialmente vinculados con el monte Sinaí. El milagro de haberse comunicado en muchas lenguas es una reversión de la maldición de Babel.

Los eventos del capítulo 1 fueron una preparación para el derramamiento del Espíritu Santo sobre aqullos creyentes que oraban durante la fiesta judía de Pentecostés. En ese capítulo vemos que su oración fue contestada poderosamente.

EL MILAGRO DE PENTECOSTES (2:1-13)

Al milagro que ocurrió en Pentecostés se le identifica como "el nacimiento de la iglesia". Es significativo el paralelismo existente entre Pentecostés y el relato del nacimiento de Cristo en Lucas. En ambos es prominente el papel del Espíritu.

El don del Espíritu Santo (vv. 1-4)

Lucas describe la venida del Espíritu Santo con tres declaraciones paralelas cuidadosamente construidas, enfocada cada una de ellas en un aspecto de este acontecimiento.

El resultado fue que aquellos que estaban en el aposento alto fueron "llenos del Espíritu Santo". A partir de este momento, el don del Espíritu Santo se hizo una experiencia normal para los que se convertían al cristianismo. En esta ocasión en particular:

- vino del cielo un estruendo... el cual llenó la casa (v. 2);
- aparecieron lenguas . . . como de fuego, asentándose sobre cada uno de ellos (v. 3);
- comenzaron a hablar en otras lenguas.

El acontecimiento fue audible y visible, y se manifestó a sí mismo en forma externa en los discursos inspirados que se pronunciaron. La parte audible se ha descrito como el estruendo de un viento recio.

Los que fueron testigos del Espíritu (vv. 5-13)

"Moraban entonces en Jerusalén judíos, varones piadosos, de todas las naciones bajo el cielo." Probablemente eran judíos de la diáspora que habían regresado desde otras naciones a vivir en Jerusalén. Lucas enumera varias nacionalidades presentes que representaban todos los ámbitos del Imperio Romano, desde lo que hoy es Irán, el Cercano Oriente, Turquía, Africa del Norte y hasta hasta Roma en el occidente.

La multitud respondió de dos maneras diferentes ante las "maravillas" de Dios que acababa de ver. Algunos se burlaron de ellas, mientras que otros preguntaban maravillados: ¿Qué significa todo esto?

■ *Dios dio a la iglesia el don del Espíritu Santo.*
■ *La llegada del Espíritu fue audible, visible y*
■ *se manifestó a sí mismo a través de las pala-*
■ *bras inspiradas del discurso de Pedro. El*
■ *acontecimiento de Pentecostés significó que*
■ *desde ese momento el evangelio alcanzaría*
■ *al mundo por el poder del Espíritu.*

EL SERMON DE PEDRO EN PENTECOSTES (2:14-41)

El sermón de Pedro es el primero de una serie de discursos que recoge el libro de Hechos. Lucas registra tanto el contenido como el tono de esos sermones. El discurso de Pedro es el corazón de este capítulo. La naturaleza controversial y emocionante de la experiencia pentecostal ha atraído la atención en forma significativa. Sin embargo, el verdadero enfoque de este capítulo es el comienzo del evangelismo cristiano.

Dos temas se tratan en el sermón

El tema primario es que la vida, muerte y resurrección de Jesús ocurrieron de acuerdo con el

Habilidad para hablar en otras lenguas.

En Pentecostés la iglesia recibió el don de comunicar el evangelio en lenguajes extranjeras (Hch 2; 10:44-46; 19:6). Los apóstoles hablaron en lenguas que nunca habían estudiado. Judíos de la diáspora venidos de muchas naciones se maravillaban de que los galileos pudieran hablar en sus lenguas. Dios derramó su Espíritu sobre todo su pueblo para que pudiera testificar y profetizar.

plan de Dios. El segundo es la responsabilidad de los judíos en la muerte de Jesús.

El sermón alentó una respuesta en la forma de una pregunta: "Varones hermanos, ¿qué haremos?" La respuesta de Pedro fue proponerles que se arrepintieran y se bautizaran. La reacción ante la invitación de Pedro fue abrumadora. Cerca de tres mil personas "aceptaron su mensaje" y fueron bautizadas.

- *Pedro presentó la primera apología (defensa)*
- *de la historia de la iglesia en el día de Pentecostés. Su intervención se desarrolló sobre dos sencillos temas: El arrepentimiento y el bautismo*
- *deben hacerse en el nombre de Jesucristo.*

EL CARACTER DE ESTA PRIMERA COMUNIDAD (2:42-47)

La primera imagen es una vista instantánea de la iglesia que acababa de ser fundada. Lo que resalta es el desarrollo del discipulado. Los nuevos creyentes eran instruidos, continuaban adorando en el templo y estaban unidos tanto en lo económico como en lo espiritual. Vemos también que Dios "añadía cada día" nuevos creyentes. La iglesia no sólo había sobrevivido, sino que estaba creciendo.

PREGUNTAS PARA GUIAR SU ESTUDIO

1. ¿Qué acontecimientos tuvieron lugar en el día de Pentecostés? Describa el significado de cada uno de ellos.

2. ¿Qué dos temas desarrolló Pedro en su sermón el día de Pentecostés?

3. Lucas nos ofrece en su narración varios resúmenes sobre el progreso de la iglesia. ¿Cómo podría el crecimiento de su iglesia compararse con el la iglesia primitiva?

LA PRIMERA CURACION REGISTRADA (3:1-10)

Pedro y Juan se dirigían al templo a la hora de la oración. Cuando llegaron a una de sus puertas, se encontraron con "un hombre cojo", a quien ponían cada día allí que para que pidiese limosna a los que entraban en el templo. Se le describe al hombre como "cojo de nacimiento". Seguramente que los que entraban para el sacrificio de la tarde y para orar estarían dispuestos a practicar su piedad dando limosnas generosas a un mendigo cojo. El dar limosnas era una de las maneras más notorias para demostrar bondad y se interpretaba como la expresión principal de la devoción de la persona hacia Dios.

Cuando Pedro y Juan encontraron al cojo de nacimiento, Pedro le pidió que los mirara. Hicieron, en el nombre de Jesús, lo que Cristo mismo había hecho tantas veces. Pedro dijo al cojo: "No tengo plata ni oro, pero lo que tengo te doy; en el nombre de Jesucristo de Nazaret, levántate y anda" (v. 6). Al momento "se le afirmaron los pies y los tobillos, y saltando se puso de pie y anduvo; y entró con ellos en el templo" (vv. 7-8). El versículo 6 es el corazón del mensaje, lo que establece la diferencia de esta historia respecto al resto de la narración. Algunas cosas son más preciosas que la plata o el oro.

■ *Aquellos que no eran dignos de adorar en la*
■ *antigua religión de Israel, encontraron una*
■ *aceptación total en el nombre de Jesús. La*
■ *curación del cojo maravilló a los que la pre-*
■ *senciaron y preparó sus mentes para oír la*
■ *explicación de Pedro.*

Limosnas

Aunque en la lengua hebrea no hay un vocablo técnico para referirse a "limosnas" o "el dar limosnas", esta práctica caritativa, especialmente hacia los pobres, se convirtió en una importante creencia y práctica en el judaísmo.

De los muchos milagros registrados en Hechos ninguno se parece tanto a los milagros de Jesús en los Evangelios como éste. Hay una diferencia esencial, y es que Jesús sanaba por su propia autoridad, mientras que Pedro sanó al cojo "en el nombre de Jesús", lo que indica que en realidad fue la autoridad de Cristo actuando a través de los apóstoles, la que actuó.

EL SERMON DE PEDRO EN EL TEMPLO (3:11-26)

El escenario para el siguiente sermón de Pedro fue el Pórtico de Salomón, que probablemente era un área techada ubicada en el lado este del santuario, dentro de su recinto. Lo mismo que en el caso de Pentecostés, una acción apostólica levantó las preguntas que dieron a Pedro una oportunidad para predicar.

Cuando comparamos este sermón con el pronunciado por Pedro el día de Pentecostés encontramos que son muy parecidos, tanto en la organización como en el contenido. Pedro hizo notar la voluntad de Dios en la vida, muerte y resurrección de Cristo. También enfatizó el poder de Dios para levantar a Jesús de entre los muertos, y le dio un trato un poco más suave a la responsabilidad de los judíos en la muerte de Jesús.

Pedro cita a Moisés como uno de los primeros profetas que anunció la venida del Mesías:

"Profeta de en medio de ti, de tus hermanos, como yo, te levantará Jehová tu Dios; a él oiréis" (Dt. 18:15).

No obstante, los dos sermones tienen también diferencias significativas. Por ejemplo, las pruebas bíblicas en el sermón de Pentecostés se orientan al establecimiento de la posición mesiánica de Jesús, mientras que en este sermón se orientan a demostrar la necesidad que tenían los judíos de arrepentirse y aceptar que Jesús era el enviado de Dios.

Pedro les explicó el fruto triple del arrepentimiento: (1) Sus pecados les serían perdonados, (2) los "tiempos de refrigerio" vendrían sobre ellos, y (3) Dios les enviaría el Mesías que les había prometido.

■ *Pedro les dirigió un mensaje en el templo que*
■ *los conmovió profundamente. Enfatizó la*
■ *voluntad de Dios en la vida, muerte y resu-*
■ *rrección de Jesús. Aportó pruebas bíblicas en*
■ *su sermón destinadas a hacer sentir a los*
■ *judíos la necesidad de arrepentirse y de acep-*
■ *tar a Jesús como el enviado de Dios.*

PREGUNTAS PARA GUIAR SU ESTUDIO

1. ¿Por la autoridad y el poder de quién curó Pedro al hombre cojo en el templo?
2. ¿Por qué era tan importante el dar limosnas para los judíos? ¿Que acción similar a ésta practicamos hoy en día?
3. ¿Cuáles fueron los puntos clave del sermón de Pedro en el templo?

Hasta ahora no hemos visto en Hechos que se hubiera desarrollado una resistencia contra los cristianos de parte de los líderes judíos. De hecho, la imagen que hasta ahora hemos recibido, es que había una aceptación general y de apoyo hacia los primeros creyentes. Los primeros en volverse contra los cristianos fueron los dirigentes. El primer enemigo declarado fue la aristocracia sacerdotal de los saduceos, para quienes los cristianos se estaban convirtiendo en una grave amenaza para su statu quo.

EL PRIMER ARRESTO (4:1-31)

El arresto y el interrogatorio (vv. 1-12)

El sermón de Pedro en el templo fue interrumpido por un grupo oficial de sacerdotes, el jefe de la guardia del templo y otros saduceos.

Los saduceos temían probablemente la reacción de los funcionarios del gobierno romano. Pedro y Juan fueron arrestados y encarcelados hasta el día siguiente.

Se les ordenó a los dos comparecer ante el Sanedrín para que dieran cuenta de sus acciones. A los saduceos les preocupaba tanto lo dicho por Pedro en su sermón como la curación del cojo de nacimiento. La pregunta que les hizo el Sanedrín fue: "¿Con qué potestad, o en qué nombre, habéis hecho vosotros esto?"

Pedro les contestó que a través del poder del Espíritu. Su testimonio era en cierta forma un resumen de su discurso en el templo. Pedro les explicó que el poder por medio del cual el cojo había sido sanado era el de Jesús de Nazaret. Y no sólo eso, sino que Pedro acusó al Sanedrín de

El Sanedrín

Era la asamblea más importante de los judíos en el primer siglo de nuestra era. La palabra Sanedrín se traduce generalmente como "consejo" o "concilio" en nuestras versiones de la Biblia. Este concilio tenía setenta y un miembros y lo presidía el sumo sacerdote. Estaba integrado por miembros de los principales partidos judíos. Dado que el sumo sacerdote presidía, el partido de los saduceos debió haber sido predominante, aunque algunos fariseos importantes también eran miembros.

su responsabilidad por el rechazo y muerte del Cristo. También enfatizó el poder de Dios al levantar a Jesús de entre los muertos.

Advertencia y liberación (vv. 13-22)

En contraste con la intrepidez y libertad de los apóstoles, el Concilio se quedó en profundo silencio. Después de ordenarles que abandonasen el salón, los del concilio conferenciaron entre sí sobre la evidencia innegable de la curación del cojo. No era una situación fácil y su respuesta fue una decisión política. Aunque no podían negar el milagro de los apóstoles, buscaron la forma de coartar la predicación apostólica. Les advirtieron a Pedro y a Juan que "de ninguna manera hablasen ni enseñasen en el nombre de Jesús". Al concilio no le quedó más alternativa que amenazarles y ponerlos luego en libertad.

La oración de la congregación (vv. 23-31)

Estos versículos nos dan una idea acerca de la vida de los cristianos en Jerusalén. Es un informe sobre la oración de gratitud de la iglesia a Dios por la liberación de los apóstoles de las manos de las autoridades judías. En respuesta a la oración por poder y valor, el lugar donde estaban reunidos tembló por la presencia del Espíritu.

- *A través del poder de su Espíritu, Dios liberó*
- *a los apóstoles de manos de la autoridades*
- *judías. El Espíritu de Dios conmovió el sitio*
- *de reunión de los cristianos que se habían*
- *reunido para orar por los apóstoles. El resultado de la presencia del Espíritu fue una*
- *renovada valentía en la iglesia para proclamar el evangelio.*

Bernabé

Bernabé significa "hijo de consolación". Este era el sobrenombre que le pusieron a José, un levita natural de Chipre.

TODAS LAS COSAS EN COMUN (4:32-37)

Este segundo resumen amplía una de la ideas introducidas en el primero: "Todas las cosas en común." Los cristianos vivían en unidad y armonía. La demostración de su unidad era su disposición a compartir los recursos disponibles. Por medio de la benevolencia de los miembros acomodados, como Bernabé, los pobres recibieron lo necesario. En consecuencia, "no había entre ellos ningún necesitado" (4:34).

PREGUNTAS PARA GUIAR SU ESTUDIO

1. ¿Cómo fue la iglesia primitiva recibida en sus comienzos por las autoridades judías?
2. ¿Qué sorprendió y enfureció al Sanedrín de la predicación de Pedro y Juan?
3. La iglesia primitiva era una iglesia que oraba. ¿Cómo lo hacían? ¿Qué podemos aprender de su ejemplo?

ANANIAS Y SAFIRA (5:1-11)

Así como Bernabé, también Ananías y Safira vendieron una heredad y dieron el dinero a la iglesia. A diferencia de Bernabé, esta pareja acordó mentir acerca del precio de la venta. Es indudable que estaban contentos por pertenecer al movimiento y tomaban con seriedad su participación en el mismo; aunque no con la fidelidad de Bernabé, el cual entregó todo el dinero sin condiciones, pues no esperaba halagos. Ananías y su esposa sí buscaban la adulación, pero no quisieron entregar todo el producto de la venta de la heredad, aunque sí quisieron hacer creer que lo habían hecho. Ellos buscaban lo mejor de ambos mundos: Vender la heredad y aparentar que lo habían dado todo a la iglesia, pero al mismo tiempo retener parte de lo que habían recibido.

Pedro vio el intento de engaño y preguntó al hombre: "Ananías, ¿por qué llenó Satanás tu corazón para que mintieses al Espíritu Santo, y sustrajese del precio de la heredad?"

Ananías había violado su propia integridad. Le estaba fallando al Espíritu de Dios que ahora moraba en él, y había hecho una burla de la obra del Espíritu Santo en su alma. Pedro agregó: "No has mentido a los hombres, sino a Dios. Al oír estas palabras, Ananías cayó y expiró."

Tres horas más tarde llegó Safira. Cuando el apóstol la confrontó con el pecado que había cometido junto con su marido, ella también cayó muerta. Los mismos que había enterrado a Ananías tomaron su cuerpo y lo prepararon para sepultarlo al lado del de su marido.

Iglesia

La palabra iglesia (del griego *ekklesia*) aparece por primera vez en Hechos 5:11. Con ella se referían a una asamblea de personas reunidas en libertad. La iglesia cristiana era antigua y era nueva. Era nueva porque daba testimonio de la vida, muerte, resurrección y continuación del ministerio de Jesús; y antigua porque la idea de la asamblea ya estaba en la mente del pueblo de Dios creado en el Exodo.

Este acontecimiento tuvo un gran efecto sobre la congregación. El castigo rápido y decisivo de Dios creó gran temor en toda la iglesia. Sus miembros quedaron aterrorizados, lo cual es una reacción natural cuando se es testigo del poder de Dios. Este suceso tiene poco que ver con la cantidad que dieron. La importante es la actitud del corazón. Ananías y Safira querían impresionar a la congregación con esa dádiva. El hecho de haber guardado parte y decir que habían dado todo demostraba una actitud egoísta, y no la de querer servir a Dios.

 Este juicio radical e inmediato no es la manera corriente en que Dios trata con los creyentes hoy en día. Sin embargo, el juicio, el castigo por el pecado y la retribución forman parte de la manera en que Dios mantiene un balance moral en el universo. Necesitamos captar el mensaje de que no podemos ir por el mundo pecando impunemente, pensando que no tendremos que verle la cara a Dios y a las demás personas por nuestros desmanes.

■ *Ananías y Safira, al igual que Bernabé, ven-*
■ *dieron una heredad y dieron el dinero a la*
■ *iglesia. Pero ellos retuvieron una parte del*
■ *precio de venta y afirmaron que lo habían*
■ *entregado todo. El juicio de Dios fue muerte*
■ *inmediata. El pecado de Ananías y Safira no*
■ *fue retener parte del dinero, sino el mentir a*
■ *Dios y a los apóstoles queriendo defraudar*
■ *en su acción de dar.*

El segundo resumen de Lucas y la historia de Ananías y Safira son una especie de intermedio en la larga historia del conflicto entre los apóstoles y las autoridades judías.

LOS MILAGROS REALIZADOS POR LOS APOSTOLES (5:12-16)

Esta es la tercera declaración de resumen en Hechos. En ella se realza el ministerio de curación de los apóstoles y se expone la respuesta divina a sus oraciones por medio de señales y maravillas. Este pasaje, con su énfasis en el ministerio de curación y la creciente respuesta de la gente al evangelio, preparó el campo para la renovada preocupación de los saduceos y el arresto de los apóstoles.

LOS APOSTOLES ANTE EL CONCILIO (5:17-42)

En la sección anterior (3:1–4:31) vimos que el Sanedrín había mandado estrictamente a los apóstoles que no enseñaran ni predicaran el evangelio. Con el creciente éxito del testimonio cristiano vino un endurecimiento de parte de las autoridades judías. Como antes, los saduceos se enfurecieron por la predicación de los apóstoles.

Arresto, fuga y vuelta a prisión (vv. 17-26)

Un ángel del Señor se apareció en la noche a los apóstoles en la prisión, les abrió las puertas, los liberó y les transmitió las instrucciones que les enviaba Dios. Debían regresar al templo y anunciar al pueblo "todas las palabras de esta vida". Es decir, tenían que retomar su ministerio de dar testimonio y predicar el mensaje de salvación.

La segunda comparecencia ante el Sanedrín (vv. 27-40)

Durante la primera comparecencia ante el Sanedrín sólo estuvieron Pedro y Juan, pero en esta segunda ocasión todos los apóstoles comparecieron ante el Concilio.

La predicación apostólica

En sus predicaciones públicas, los apóstoles orientaban sus mensajes hacia los inconversos. Daban relevancia al evangelio de Cristo y predicaban para lograr conversiones. El mensaje de los apóstoles tenía varios elementos esenciales en común:

1. Proclamaban que las Escrituras se habían cumplido.

2. El cumplimiento vino en la persona de Jesús, a quien proclamaban como Mesías.

3. La salvación viene por medio de la muerte, sepultura y resurrección de Jesús, quien ascendió a los cielos y está sentado a la derecha del Padre, desde donde volverá otra vez para juzgar al mundo.

4. La salvación consiste en el perdón de los pecados y en el don del Espíritu Santo. Cuando el pecado es quitado, y el Espíritu Santo viene, esa persona ha recibido el don de la vida eterna.

5. La respuesta apropiada a este evangelio es el arrepentimiento ante Dios y la fe en el Señor Jesús.

Es interesante notar que el sumo sacerdote no hizo referencia a la fuga de los apóstoles de la prisión, quizá para no sentirse mal. Sin embargo, en esta oportunidad sí les formularon acusaciones concretas. Los apóstoles habían sido formalmente advertidos por el concilio de que no debían continuar testificando, y ellos no sólo habían seguido hablando y predicando, sino que abiertamente habían ignorado una orden específica del Sanedrín.

Como respuesta, los apóstoles repitieron lo registrado en Hechos 4:19: "Juzgad si es justo delante de Dios obedecer a vosotros antes que a Dios." Pedro acusó de nuevo a los judíos de haber asesinado a Jesús, y después proclamó la resurrección de Jesús. Las palabras de Pedro fueron recibidas con rabia asesina. Algunos los miembros del concilio pidieron la pena de muerte.

En este momento, Gamaliel, un reconocido fariseo, intervino. El era una voz de moderación. Llamó a la reflexión sobre lo que pensaban hacer y propuso que se perdonara a los apóstoles, para lo cual se apoyó en la experiencia conocida sobre el final de otros movimientos mesiánicos. Persuadidos por el discurso de Gamaliel, los miembros del Sanedrín decidieron dejar en libertad a los apóstoles.

Liberación y testimonio (vv. 41-42)

De nuevo pusieron en libertad a los apóstoles, pero esta vez fueron azotados. Cada uno recibió treinta y nueve azotes como una advertencia para que no persistieran en su desobediencia a las autoridades judías.

Ellos, sin embargo, no se acobardaron y persistieron en su obediencia a Dios antes que a los hombres.

Gamaliel

Gamaliel era un fariseo de mucho prestigio, miembro del Sanedrín. El desalentó el plan que tenía el Sanedrín de matar a los apóstoles cuando les recomendó prudencia, pues pudiera ser que interferir con ese movimiento resultara en una oposición al plan de Dios. Si, por el contrario, resultaba que era sólo un trabajo humano por parte de los apóstoles, decía Gamaliel, terminaría en nada, como había sucedido con otros movimientos similares. Según Hechos 22:3, este Gamaliel fue el maestro de Pablo. También era nieto del gran rabino Hillel. Murió alrededor del año 52 d. J.C.

■ *Los apóstoles fueron llevados ante el Sane-*
■ *drín por segunda vez porque persistían en*
■ *testificar de Cristo. Aunque les perdonaron*
■ *la vida, fueron azotados por el "delito"*
■ *cometido. Sin embargo, no temieron el cas-*
■ *tigo, sino que continuaron predicando y ado-*
■ *rando a Dios, alabándolo por permitirles*
■ *sufrir por el nombre de Cristo.*

FIN DE LA PRIMERA SECCION DE HECHOS

Aquí termina la primera sección importante Hechos. Los dos temas pricipales de Lucas se hallan entrelazados hábilmente a lo largo de la narración. El evangelio, impulsado por el poder de Dios, había superado las barreras de lenguas y persecuciones. El Espíritu se había derramado sobre la iglesia para fortalecerla y hacerla crecer. La iglesia cristiana ha sido descrita como un grupo de judíos devotos que aspiraban a poder adorar y ministrar sin ser molestados. Las autoridades judías, sin embargo, no estaban dispuestas a dejar actuar libremente a aquellos que confesaban a Jesús como el Mesías. De ahí que comenzó un proceso de separación dentro del judaísmo del cual surgió la iglesia.

PREGUNTAS PARA GUIAR SU ESTUDIO

1. ¿Cuál fue el pecado de Ananías y Safira? ¿Por qué Dios fue tan radical al castigarlos?

2. ¿Cuáles fueron los elementos fundamentales de la predicación apostólica?

3. ¿Cuál fue la actitud de los apóstoles en su segunda comparecencia ante el Sanedrín? ¿Cuáles fueron los resultados de ese juicio?

Helenistas

Llamaban así a los judíos de lengua y cultura griega, y también a los griegos que abrazaban el judaísmo. La palabra se deriva del griego *hellas*, que significa Grecia.

La iglesia se enfrenta a un problema y busca la manera de resolverlo

LA ELECCION DE LOS SIETE (6:1-7)

El problema (v. 1, 2)

Por primera vez se presentaba un problema de división en la iglesia. El conflicto se originó entre los helenistas (judíos de origen griego) y los hebraicos (judíos que hablaban arameo). La situación se puso tensa porque un número elevado de viudas helenistas necesitaban ayuda. Uno de los ministerios de la sinagoga (y de la iglesia) era proveer alimento y asistencia a aquellas viudas y niños que no eran sostenidos por los familiares. Quizá la mayoría de las viudas necesitadas eran helenistas y el conflicto se suscitó sobre la distibución apropiada de los alimentos.

La solución (vv. 3, 4)

Los apóstoles propusieron una solución que agradó a toda la comunidad. Consistía en elegir a un grupo de hermanos que se encargaran de la administración de la ayuda a las viudas. Al igual que los apóstoles, estos hombres fueron escogidos por su sabiduría y espiritualidad.

Elección e instalación (vv. 5, 6)

La iglesia eligió a sus diáconos y los apartó para el ministerio. Esteban aparece el primero en la lista, y se convirtió en el personaje central de la siguiente narración. Luego aparece Felipe, quien llegaría a ser uno de los baluartes en la expansión del testimonio cristiano. A los otros cinco elegidos: Prócoro, Nicanor, Timor, Parmenas y Nicolás prosélito de Antioquía, no se les vuelve a mencionar en Hechos.

La iglesia presentó estos varones ante los apóstoles, quienes confirmaron la decisión de la congregación mediante la oraron y la imposición de
las manos sobre los siete.

■ *El conflicto entre la comunidad fue resuelto*
■ *mediante la elección de siete hombres que se*
■ *encargaron de la asistencia social de los*
■ *miembros necesitados. Al escoger a estos*
■ *siete, los apóstoles pudieron entonces dedi-*
■ *carse a sus responsabilidades primarias de*
■ *predicar y dar testimonio de Cristo.*

La transición (v. 7)

La narración acerca de Esteban constituye un
punto crucial en Hechos. Con este relato termina la serie de tres juicios ante el Sanedrín. El
episodio de Esteban es la culminación del testimonio que se dio a los judíos de Jerusalén.

EL ARRESTO DE ESTEBAN (6:8-12)

El papel de Esteban en Hechos lo anticipa Lucas
por la forma en que lo presenta en 6:5: "Esteban,
varón lleno de fe y del Espíritu Santo." Esteban
actuaba más como un apóstol que como un diá-
cono. Había estado haciendo milagros y ningún
judío helenista podía ganarle en los debates.

El debate de Esteban con los de la sinagoga helenista (vv. 8-10)

Algunos miembros de la sinagoga llamada de los
libertos andaban muy preocupados por la predicación y ministerio de Esteban. El nombre de
libertos puede identificar a los antiguos esclavos
o descendientes de los cautivos que fueron llevados de Palestina durante la Diáspora.

Esteban

Esteban se convirtió
en el primer mártir del
cristianismo. Era el
miembro más
prominente entre los
siete que fueron
elegidos para resolver
el problema que se
había presentado en
la congregación (Hch
6:1-7). Era tan
conocedor de las
Escrituras que sus
opositores judíos no
pudieron refutar su
argumentación en
defensa de que Jesús
era el Mesías (Hch
6:10). Saulo de Tarso
oyó el discurso de
Esteban ante el
Sanedrín, en el que
acusó a los líderes
judíos de rechazar a
Dios como sus
antepasados. Saulo
cuidó de las ropas de
los que apedrearon a
Esteban hasta
matarlo, pero también
pudo ver que fue una
muerte victoriosa. Es
posible que Esteban
haya sido la persona
que Dios usó para
conquistar a Saulo,
quien luego habría de
convertirse en el gran
misionero de la
cristiandad.

La conspiración (vv. 11, 12)

Como no podían resistir la lógica y el poder convincente de Esteban, los judíos acudieron a métodos deshonestos. Su plan para detener a Esteban incluía conspiración, perjurio y psicología de masas. Lo acusaron de blasfemar contra el templo y contra la ley. Después de esto lo apresaron y lo llevaron ante el Sanedrín.

COMIENZO DEL JUICIO (6:13–7:1)

El juicio proporcionó a Esteban una foro para hablar con pasión y persuasión en el poder del Espíritu. Antes de comenzar a hablar, Lucas nos recuerda el poder que le asistía. Una vez que le impusieron de los cargos que había contra él, todos se concentraron en Esteban para escuchar su respuesta. Su cara parecía la de un ángel, una prueba clara de la presencia de Dios.

Al comenzar el juicio, el sumo sacerdote preguntó a Esteban, refiriéndose a los cargos: "¿Es esto así?" Esta pregunta sería equivalente a la que se hace hoy en nuestros tribunales: "¿Se considera usted culpable o inocente?"

■ *Como estaban perturbados por la predica-*
■ *ción y la enseñanza de Esteban, los judíos*
helenistas lo acusaron de blasfemar contra el
■ *templo y contra la ley. De manera que fue*
■ *detenido y llevado ante el Sanedrín.*

PREGUNTAS PARA GUIAR SU ESTUDIO

1. Describa la división que enfrentó la nueva iglesia. ¿Cuál fue la solución que encontraron?
2. ¿Por qué estaban los judíos helenistas tan opuestos a Esteban?
3. ¿Cuál fue el papel que desempeñó Esteban en el crecimiento de la iglesia primitiva?

EL DISCURSO DE ESTEBAN (7:2-53)

Perspectiva general

Esteban expuso tres ideas principales en su discurso. La primera fue la reverencia de los judíos por la Tierra Santa. La mayoría de ellos estaban convencidos de que la tierra era el mayor regalo de Dios para ellos, y pensaban que Palestina era el sitio donde Dios vivía y trabajaba.

Segunda, Esteban demostró que Moisés había sido constantemente desobedecido por los judíos. Por último, Esteban hizo notar que Dios permitió a Salomón construir un templo porque los judíos insistieron en tenerlo.

"El cielo es mi trono, y la tierra estrado de mis pies; ¿dónde está la casa que me habréis de edificar, y dónde el lugar de mi reposo? Mi mano hizo todas estas cosas" (Is. 66:1, 2a).

Al comienzo del discurso Esteban fue muy respetuoso con la audiencia, recordándoles que eran sus hermanos judíos, y también demostró mucho respeto para con los ancianos del Sanedrín, a los cuales se refirió como "padres".

Esteban negó que Dios estuviera atado a alguna tierra cuando hizo un recuento de la historia de los patriarcas y demostró que Dios obró en la vida de ellos, la mayoría de las veces fuera de la tierra prometida. Dios dio las promesas a un Abraham sin tierras.

El discurso llegó a su clímax con fuertes palabras dirigidas a los líderes judíos. Los llamó duros de cerviz y los acusó de haber negado a los profetas, al Espíritu y al Mesías. Al defenderse de la acusación de haber blasfemado contra el templo, Esteban acusó a los judíos de haber fallado en la obediencia a la Ley, de la cual estaban tan orgullosos.

■ *El discurso de Esteban es importante para*
■ *entender cómo el evangelio se desplazó desde*
■ *su origen judío hacia el mundo gentil. El*
■ *hecho de que los judíos rechazaran el evan-*
■ *gelio no es de sorprender. En su discurso,*
■ *Esteban afirmó que también habían recha-*
■ *zado la voluntad de Dios a través de toda su*
■ *historia como pueblo escogido de Dios.*

EL MARTIRIO DE ESTEBAN (7:54–8:1a)

Nunca sabremos si Esteban estaba haciendo un llamamiento directo a sus oyentes para que se arrepintiesen, pues ellos se taparon los oídos y arremetieron a una contra él. Esteban fue arrastrado, golpeado, echado fuera de las puertas de la ciudad y arrojado en el foso de apedreamiento, donde fue de inmediato lapidado hasta la muerte.

En sus últimos momentos el dolor fue sustituido por el don de una visión. Esteban declaró: "He aquí, veo los cielos abiertos, y al Hijo del Hombre que está a la diestra de Dios."

Sus últimas palabras: "Señor Jesús, recibe mi Espíritu", nos recuerdan como un eco las palabras de Cristo en la cruz. Esteban murió no con temor y angustia, sino en victoria.

Los que ejecutaron a Esteban puede ser que hayan tratado de justificar su acción apoyándose en el texto de Levítico 24:14: "Saca al blasfemo fuera del campamento, y todos los que le oyeron pongan sus manos sobre la cabeza de él, y apedréelo toda la congregación."

PREGUNTAS PARA GUIAR SU ESTUDIO

1. ¿Cuáles fueron los puntos clave que Esteban resaltó en su discurso ante el Sanedrín?

2. ¿Qué dijo Esteban al Sanedrín para que se enfurecieran de esa manera? ¿En qué influyó eso en su muerte?

3. ¿Qué sucedió como consecuencia de la muerte de Esteban?

ENTRADA EN ESCENA DE SAULO DE TARSO (8:1A)

No fue un accidente el que Saulo de Tarso fuera testigo de la muerte de Esteban. Se lanzó a una actividad frenética intentando borrar aquella experiencia que le turbaba. Incapaz o no dispuesto a admitir sus sentimientos, volcó sus miedos y frustraciones sobre los creyentes. Con la furia de una tormenta, explotó contra la iglesia, decidido a aplastar este insidioso movimiento. Pero lo que consiguió fue estimular aún más la expansión del evangelio.

EL EVANGELIO EN SAMARIA (8:1B)

Muchos nuevos convertidos salieron de Jerusalén y se fueron a las regiones más alejadas de Judea y llegaron hasta Samaria.

No se puede dejar de reconocer que los cristianos primitivos se sobrepusieron a sus prejuicios y no sólo vivieron con los samaritanos, sino que les compartieron el evangelio.

EL ENTIERRO DE ESTEBAN (8:2)

Las regulaciones de los judíos permitían que un criminal que había muerto lapidado fuera enterrado, pero no podía haber expresiones de dolor por él. Los amigos de Esteban hicieron caso omiso de esa prohibición y lo sepultaron con grandes expresiones de llanto y lamentación.

EL LEON DE DIOS (8.3)

Para desahogar su ira, Saulo fue por la ciudad de Jerusalén y sus alrededores buscando a los creyentes, arrestándolos y metiéndolos en le cárcel. Muy pronto estas cruzadas "santas" pasaron los límites de toda razón y se confundieron con las

---

"Saulo, el perseguidor"

El nombre judío de Pablo era Saulo, el cual le fue dado al nacer en recuerdo de su padre o quizá como recuerdo del rey Saúl, quien también perteneció a la tribu de Benjamín. Como había nacido en una ciudad romana y tenía esa nacionalidad por nacimiento, su nombre oficial romano era Pablo. Tarso es el nombre de la ciudad donde nació (Hch 22.3), y todavía existe como floreciente ciudad situada a unos pocos kilómetros del mar Mediterráneo en la costa sur de Turquía.

Tiempo después, Pablo se trasladó a Jerusalén para estudiar bajo el famoso Gamaliel. Para ese momento tendría entre trece y dieciocho años de edad. Pablo se hizo un celoso guardián de la tradición y enseñanzas judías (Gá. 1:14). Era un fariseo (Fil. 3:5). Este empeño en el estudio de las leyes y tradiciones del Antiguo Testamento son la base en que se apoyaba para perseguir a sus hermanos judíos que creían en que Jesús era el Mesías. El sermón de Esteban ante el Sanedrín fue aparentemente un fuerte estímulo para el ansia persecutoria de Pablo contra la Iglesia.

ansias de venganza de Pablo. Aunque la referencia de Lucas no se extiende mucho, es de imaginar ataques nocturnos aterradores en los que los cristianos eran maltratados y atropellados en sus derechos humanos, todo en nombre de la religión y para la honra de Dios.

PREDICADORES INTREPIDOS (8:4)

Ante la persecución que se desató a la muerte de Esteban, los cristianos fueron dispersados. Separados de sus casas y familiares, perseguidos y huyendo al amparo de la oscuridad, los seguidores de el Camino salieron en todas direcciones. No por eso se amedrentaron, sino que se sentían bendecidos por ser perseguidos por causa del Señor. A medida que se dispersaban también extendían el evangelio.

Felipe

Felipe era un miembro respetable de la iglesia de Jerusalén, y fue uno de los siete , los primeros diáconos elegidos (Hch 6:5). Después del martirio de Esteban, Felipe llevó el evangelio a Samaria y allí su ministerio fue bendecido.

Más tarde fue dirigido al camino que lleva de Jerusalén a Gaza, donde le predicó al eunuco etíope, el cual aceptó a Cristo y fue bautizado (Hch 8:26-38).

Luego, el Espíritu lo transportó a Azoto y desde allí inició un ministerio itinerante hasta que se detuvo en Cesarea. Durante veinte años no se le vuelve a mencionar en la narración de Lucas hasta el momento en que Pablo se aloja en su casa, de paso para Jerusalén (Hch 21:8). Felipe tuvo cuatro hijas que permanecieron solteras y que eran profetisas.

■ *Enseguida de la muerte de Esteban, Saulo, el*
■ *perseguidor de los cristianos, recorrió la ciu-*
■ *dad de Jerusalén llevando a cabo su ven-*
■ *ganza. Ante esta persecución, los cristianos*
■ *tuvieron que dispersarse. A medida que se*
■ *dispersaban por las ciudades de alrededor,*
■ *más se extendía el evangelio.*

FELIPE PREDICA EN SAMARIA (8:5-8)

Felipe, uno de los siete diáconos, se encaminó a Samaria. Al igual que Esteban, el poder del Espíritu estaba presente en su trabajo. Predicó e hizo milagros y señales, tales como curaciones y expulsión de espíritus inmundos.

SIMON EL MAGO CREYO (8:9-13)

Simón el mago aparece en contraste con Felipe y su obra. La magia era una expresión religiosa importante en el mundo antiguo. Como resultado del ministerio de Felipe, muchos samaritanos vinieron a la fe, incluyendo a este Simón.

PEDRO EXAMINA LA OBRA EN SAMARIA Y SE ENCUENTRA CON SIMON (8:14–25)

Nadie había hablado a los samaritanos acerca del Espíritu. Les faltaba esa experiencia cristiana, pero cuando Pedro, que ya había recibido el Espíritu, les informó de esta gran experiencia, lo oyeron con gran entusiasmo y abrieron las ventanas de su alma para recibir el don del Espíritu Santo de Dios.

Simón

Lucas no vuelve a mencionar a Simón, pero este mago se ganó un lugar negativo en la historia, pues su nombre fue tomado para referirse a la práctica de vender o comprar cargos en la iglesia (Simonía).

Simón el mago no podía creer lo que sus ojos veían. Cuando Pedro oraba e imponía las manos a los creyentes, ellos recibían el Espíritu Santo. Entonces pensó que si él pudiera conseguir ese poder, sus actuaciones serían un éxito. Esto demostraba la superficialidad de su compromiso con Cristo, pues veía el invocar al Espíritu como una manera de realzar su espectáculo de magia. Tuvo la audacia de ofrecerle a Pedro comprar el don.

Pedro contestó al sorprendido charlatán que estaba demostrando que nunca había tenido una verdadera experiencia con Jesús y que nunca recibiría al Espíritu Santo. En seguida le dijo: "Arrepiéntete, pues, de tu maldad, y ruega a Dios, si quizá te sea perdonado el pensamiento de tu corazón; porque en hiel de amargura y en prisión de maldad veo que estás" (8:22).

Aterrorizado, Simón le pidió a Pedro que orara por él para que no le vinieran aquellas graves consecuencias.

EL TESTIMONIO AL TESORERO DE ETIOPIA (8:26-40)

La actividad evangelizadora de Felipe no terminó en Samaria. También fue elegido para participar en el esfuerzo de llevar el evangelio más allá de Jerusalén, Judea y Samaria. En respuesta al aviso de un ángel, Felipe fue al camino que lleva de Jerusalén a Gaza para encontrar al etíope que regresaba a su tierra después de visitar Jerusalén. Tuvo la oportunidad de explicarle las Escrituras al etíope y testificarle acerca de Jesús y bautizarlo, y luego Felipe fue transportado por el poder del Espíritu a otra región.

Lucas ubica en su narración esta conversión del etíope entre el trabajo de Felipe en Samaria (donde se remontó una barrera racial) y la conversión de Cornelio en Hechos 10. Desde un punto de vista literario podemos asumir que estos relatos sirven como etapas en la transición del evangelio de los judíos a los gentiles.

■ *El Espíritu, que ya había roto la barrera*
■ *racial que impedía a los samaritanos tener*
■ *acceso religioso a Dios, ahora rompe una*
■ *barrera física a la fe. Ya ninguno sería recha-*
■ *zado por razones raciales o características*
■ *físicas. La entrada al reino dependía sola-*
■ *mente de la relación espiritual con Dios.*

PREGUNTAS PARA GUIAR SU ESTUDIO

1. ¿Cómo cree que afectó a Saulo la experiencia de haber presenciado la lapidación hasta la muerte de Esteban?
2. ¿Cuál fue el efecto de la persecución de Pablo al esparcir a los cristianos hacia otras ciudades?
3. ¿Qué verdad fundamental conlleva la conversión del tesorero de Etiopía?

DIOS LLAMA A SAULO (9:1-30)

La primera mitad del relato de la conversión de Saulo se divide en tres secciones principales: La aparición en el camino de Damasco (vv. 1-9), la ministración de Ananías a Saulo (vv. 10-18a), y la confirmación final de la conversión a través de su testimonio en Damasco (vv. 18b-22).

La aparición en el camino de Damasco (vv. 1-9)

Cerca de las puertas de Damasco, repentinamente le rodeó a Saulo un resplandor de luz del cielo. Saulo cayó a tierra, entonces vino la voz del cielo: "Saulo, Saulo, ¿por qué me persigues?" El dijo: "¿Quién eres, Señor?" La respuesta del cielo fue: "Yo soy Jesús, a quien tú persigues." Ahora Saulo había contemplado a Jesús y tenido la innegable demostración de que él vivía y reinaba en gloria. Saulo, el furioso perseguidor, quedó humillado. Durante tres días quedó ciego y no comió ni bebió nada.

Ananías ministra a Saulo (vv. 10-18a)

En Damasco vivía un discípulo llamado Ananías a quien el Señor se le apareció en visión y le dio instrucciones para que buscara a Saulo en la casa de Judas. Al principio Ananías se resistió, pues sabía quién era Saulo y le tenía miedo, pero obedeció y fue hasta donde estaba Saulo y puso las manos sobre él para que recobrara la vista. Ananías actuó como el agente de Dios para sanar y bautizar a Saulo.

La escena en la casa de Judas concluyó con Saulo tomando alimentos y recuperándose en sus fuerzas.

El testimonio en Damasco (vv. 18b-22)

Saulo comenzó a predicar en las sinagogas, sirviendo ahora al evangelio con el mismo celo con que antes lo perseguía. El proclamaba a Jesús

Damasco

Capital de Siria con estrechos vínculos históricos con Israel. Debe haberle tomado a Saulo por lo menos unos seis días de viaje desde Jerusalén hasta Damasco. Esto muestra hasta dónde el Camino se había extendido, y lo fuerte de las motivaciones de Saulo para intentar detenerlo.

La conversión de Saulo

En la conversión de Saulo a la fe cristiana tenemos uno de los acontecimientos más importantes y de mayor alcance en la historia de la iglesia primitiva. En el Nuevo Testamento encontramos tres relatos detallados de esta significativa experiencia. Lucas lo relata aquí como un hecho histórico y Pablo se refiere a él dos veces con sus propias palabras (Hch 22:6-11; 26:12-19).

como "el Hijo de Dios" y todos los que lo oían estaban sorprendidos de que este notable enemigo de el Camino ahora predicara a Cristo. Pablo pronto se convirtió en un oponente temible para los judíos con los que debatía.

Saulo, el perseguido (vv. 23-31)

Saulo fue tan exitoso en su testimonio que los judíos de Damasco planearon matarle. Esto le obligó a escapar por el muro de la ciudad y marchar a Jerusalén. Los creyentes de Jerusalén todavía le temían, hasta que vino Bernabé y sirvió como un aval de la sinceridad que había demostrado en Damasco y de su efectividad.

- *En una dramática experiencia de conversión,*
- *Dios llamó a Saulo a ser su testigo. Lleno de*
- *celo y energía, Saulo comenzó de inmediato*
- *a predicar y a proclamar a Jesús como el*
- *Hijo de Dios. El resultado de la conversión de*
- *Saulo fue que, de enemigo más encarnizado,*
- *se convirtió en el más ardiente defensor.*

PEDRO REALIZA MILAGROS (9:32–43)

La narración enfoca una vez más a Pedro. No se le mencionaba desde su misión a los samaritanos (8:14-25). Ahora estaba participando en la gran misión a los judíos, llevando el evangelio a las ciudades de la costa.

Lida

Durante los tiempos del Nuevo Testamento, Lida era la capital de distrito de Samaria. El cristianismo se convirtió en una poderosa influencia en Lida a partir del segundo siglo.

La curación de Eneas (vv. 32–35)

Pedro se detuvo en Lida para saludar a los creyentes. Allí encontró un paralítico llamado Eneas que hacía ocho años que estaba en cama. El tomó la iniciativa de curar a Eneas sin que se lo pidieran. La curación se efectuó al pronunciar la palabra de sanidad en el nombre de Jesús.

Dorcas es resucitada (vv. 36-43.)

Jope era la principal ciudad portuaria de Judea, ubicada sobre la costa de Filistea. Aquí vivía una discípula llamada Tabita. Lucas incluye en su narración la traducción griega del nombre "Dorcas" para sus lectores griegos. Tabita había enfermado y muerto. Como sabían que Pedro andaba en las proximidades los cristianos de Jope mandaron dos hombres a Lida para urgirle a Pedro que fuera a Jope sin demoras.

Cuando Pedro llegó lo llevaron al lugar donde habían puesto el cadáver de Tabita. Pedro se arrodilló al lado de la cama, convencido de que el milagro no venía de él, sino por el poder de Cristo. Después de orar, Pedro ordenó a Tabita que abriera los ojos. Ella lo hizo de inmediato, y se levantó del ataúd. Hubo gran regocijo y no menos temor y asombro cuando vieron a Tabita salir caminando con Pedro. Muchos creyeron en Jesús y se agregaron a las iglesias.

■ *Pedro participó en la gran misión entre los*
■ *judíos evangelizando las ciudades de la*
■ *costa. Lucas reseña dos eventos clave de esta*
■ *misión.*

PREGUNTAS PARA GUIAR SU ESTUDIO

1. Saulo tuvo una dramática experiencia de conversión. ¿Qué es lo que a usted le impresiona más?

2. Describa los sentimientos del Ananías al tener que ayudar a Saulo. ¿Qué nos enseña la reacción de Ananías?

3. Dios transformó al peor enemigo en su más ardiente defensor. ¿Cómo evalúa usted el impacto de este hecho sobre los demás miembros de la iglesia?

El capítulo 10 marca un hito importante en la expansión de la iglesia. Dios guió a Pedro a testificar ante al gentil Cornelio. Como resultado de esa experiencia, Pedro quedó convencido de que el propósito de Dios era alcanzar a todas las gentes. De ahí en adelante, se convirtió en uno de los grandes defensores de la misión de la iglesia a los gentiles.

Cornelio

Era un centurión del ejército romano que vivía en Cesarea. Aunque gentil, era un hombre piadoso y temeroso de Dios, adorador del único Dios verdadero. Trataba a los judíos con bondad y generosidad. Después de que un ángel se le aparesió, envió a Jope a buscar a Simón Pedro, quien vino a él con el mensaje que los pecados eran perdonados a través de la fe en el Cristo crucificado y resucitado. Cornelio abrazó la fe cristiana, y su conversión marcó el comienzo de la actividad misionera de la iglesia entre los gentiles. También ayudó a montar el escenario para una importante controversia en la iglesia, pues planteó la duda sobre la posibilidad de salvación para aquellos que no eran judíos.

EL CENTURION CORNELIO (10:1, 2)

Esta sección comienza con la descripción de ese personaje. Su nombre era Cornelio, un centurión de la compañía llamada la Italiana, estacionada en Cesarea. Cada detalle de esta frase es significativo. El hecho de haber sido llamado por su nombre quizá indica que era un hombre muy conocido en las comunidades cristianas para las cuales Lucas escribió. Era un militar con el rango de centurión y tenía a cien soldados bajo su mando.

LA VISION DE CORNELIO (10:3-8)

Cornelio tuvo una visión en la que un ángel del cielo se le apareció. El miedo inicial de Cornelio se disipó cuando el ángel lo llamó por su nombre y le dijo: "Tus oraciones y tus limosnas han subido para memoria delante de Dios." Luego el ángel instruyó a Cornelio para que enviara un mensajero a Jope, a la casa de Simón el curtidor, para pedirle a Simón Pedro que viniera a Cesarea. Acostumbrado a dar y a recibir órdenes, el centurion llamó de inmediato a dos criados y a un soldado devoto, les contó la visión y los instruyó para que fueran con rapidez y llevaran el mensaje.

LA VISION DE PEDRO (10:9-16)

Al día siguiente, después de una agitada mañana en la que predicó, sanó enfermos y debatió con los judíos, Pedro regresó a la casa de Simón el curtidor, para descansar, orar y tomar algún alimento. Mientras lo preparaban subió a la azotea y allí le sobrevino un éxtasis.

Los cielos se abrieron, y algo como un gran lienzo era bajado a tierra. En él había toda clase de animales y pájaros, tanto limpios como inmundos. Una voz del cielo mandó a Pedro que se levantara, matara y comiera, para satisfacer su hambre. El quedó perplejo por la visión y protestó enérgicamente. Lo que la voz le ordenaba era totalmente contrario a la Ley.

La respuesta de Pedro fue: "Señor, no; porque ninguna cosa común o inmunda he comido jamás." ¿Por qué no mató Pedro uno de los animales limpios? Porque los animales limpios se habían contaminado al haber estado en contacto con los inmundos. Entonces vino el argumento terminante de parte de Dios: "Lo que Dios limpió, no lo llames tú común." Pedro vio la visión tres veces y luego el lienzo fue elevado al cielo.

En esta etapa de su ministerio, todos los prejuicios de Pedro fueron combatidos uno a uno. Ya había experimentado muchos encuentros sorprendentes con samaritanos, judíos helenistas y hasta con algunos gentiles. Aquellos a quienes había conocido, que habían aceptado a Cristo, dieron pruebas innegables de esa experiencia con Jesús que cambia la vida, la misma clase de experiencia que Pedro había tenido. Pedro estaba, pues, progresando en la superación de los prejuicios, aunque aún le faltaba mucho de qué ser liberado. El iba a necesitar toda la ayuda

Animales limpios e inmundos

En Levítico 11, Moisés y Aarón dan tanto los principios como las instrucciones específicas respecto a los animales que podían comer los judíos y los que no podían comer.

Uno de esos principios es: Todo el que tiene pezuña hendida y que rumia, de ese puedes comer. El camello rumia, pero no tiene la pezuña hendida, a ese lo tendrás por inmundo. El cerdo tiene pezuñas hendidas pero no rumia, lo tendrás por inmundo.

Cesarea

Estaba ubicada sobre la ribera del mar Mediterráneo, a unos 37 kilómetros al sur del monte Carmelo. También se le conocía con el nombre de Cesarea de Judea. Después del año 6 d. J.C. se convirtió en la sede oficial de los procuradores romanos. Aparentemente, las continuas querellas entre judíos y gentiles era lo cotidiano en la vida de esta ciudad.

La ciudad aparece en Hechos como un lugar de testimonio, como destino de viaje y como el asiento del gobierno. Felipe, después de haberle presentado el evangelio de Cristo al eunuco etíope, se menciona que llegó a Cesarea después de haber predicado en una misión. Pedro llevó a Cornelio a Cristo, estando este centurión estacionado en esa ciudad. La Biblia indica que Pablo tuvo varios contactos con esta ciudad como puerto, y quizá como sitio donde fue juzgado y encarcelado. Herodes Agripa I tenía una residencia en Cesarea y allí murió.

espiritual que pudiera conseguir para asimilar la situación con Cornelio.

- ■ *Dios estaba preparando a Pedro para su*
- ■ *reunión en casa de Cornelio, un gentil. Judíos*
- ■ *y gentiles rara vez comían juntos porque los*
- ■ *gentiles no eran de confiar en eso de que*
- ■ *comieran sólo alimentos "limpios". La visión*
- ■ *de Pedro negaba que hubiese diferencia entre*
- ■ *"limpio" e "inmundo".*

PEDRO RECIBE A LOS MENSAJEROS DE CORNELIO (10:17-23)

Pedro apenas se había repuesto de la visión, cuando llegaron los mensajeros con la invitación de Cornelio para que fuera a su casa en Cesarea. Les dio la bienvenida y los alojó.

- ■ *Este pasaje confirma el poder de Dios para*
- ■ *romper aun las mayores barreras de prejui-*
- ■ *cios.*

EL VIAJE DE PEDRO A CESAREA (10:23-33)

A la mañana siguiente Pedro, los mensajeros enviados por Cornelio y varios cristianos judíos de Jope salieron rumbo a Cesarea.

Después de contarle su historia, Cornelio pidió a Pedro que testificara del evangelio frente a la audiencia de gentiles que había reunido.

EL TESTIMONIO DE PEDRO EN CESAREA (10:34-43)

Pedro declaró: "En verdad comprendo que Dios no hace acepción de personas, sino que en toda nación se agrada del que le teme y hace justicia."

A semejanza de otras predicaciones apostólicas, Pedro habló a los gentiles que le escuchaban que Jesús, a pesar de ser hombre justo y bien amado, los líderes judíos lo mataron crucificándolo, pero no permaneció en la tumba porque Dios lo levantó de la muerte.

Pedro concluyó afirmando que Jesús era el juez de vivos y muertos, y que era el mismo de quien los profetas habían hablado durante siglos.

- El sermón de Pedro se centró en su papel
- como testigo apostólico de todo el ministerio
- de Jesús, con énfasis en su muerte y resurrec-
- ción. Su punto clave era que Dios aceptaba
- gente de todas las razas que respondían en fe
- al mensaje del evangelio.

LA IMPARCIALIDAD DEL ESPIRITU (10:44-48)

La predicación de Pedro, unida a la disposición de los gentiles, abrió el camino para que el Espíritu de Dios viniera sobre Cornelio y sus acompañantes. A medida que escuchaban las palabras de Pedro acerca del perdón que hay para todo el que cree en Cristo, repentinamente el Espíritu Santo comenzó a descender sobre los gentiles reunidos en la casa de Cornelio. Fue una demostración audible, visible y objetiva de la venida del Espíritu sobre ellos. Los cristianos judíos que habían venido de Jope para testificar del encuentro

Pedro ya había mostrado su propia indecisión en cuanto a alcanzar a los gentiles, y esa indecisión era aun más marcada entre los miembros más conservadores de Jerusalén. Sólo una demostración innegable del poder divino podría superar esta situación, y Dios la proporcionó exactamente en la casa de Cornelio. Pedro invitó a los gentiles presentes a bautizarse e incorporarse plenamente a la comunidad cristiana. Este evento ilustra una verdad de la salvación: No podemos separar la confesión cristiana de fe del advenimiento del Espíritu Santo sobre el nuevo creyente. La verdadera experiencia de salvación incluye ambas realidades.

El argumento de Pedro

1. El Espíritu Santo vino sobre los gentiles en la misma forma en que lo hizo sobre nosotros.
2. Jesús dijo que Juan bautizaba con agua, pero que nosotros seríamos bautizados por medio del Espíritu Santo.
3. Por tanto, dado que Dios había dado a los gentiles el mismo don que a nosotros, "¿quién era yo que pudiese estorbar a Dios?" (Hch. 11:15-18)

se maravillaron al ver la manifestación del Espíritu entre estos romanos.

Pedro se quedó algunos días en Cesarea con estos nuevos hermanos en Cristo. Esto incluía, de manera inevitable el compartir la mesa, pero eso ya no era un impedimento para Pedro. Sin embargo, sí constituiría una dificultad mayor para cristianos más conservadores de antecedentes judíos en Jerusalén

■ *El don del Espíritu también había sido dado*
■ *ahora a los gentiles, y esto es lo que a*
■ *menudo se ha llamado el "Pentecostés de los*
■ *gentiles". Esto fue una revelación para*
■ *Pedro, quien ahora aceptaba a los gentiles*
■ *como parte de la comunidad cristiana.*

PREGUNTAS PARA GUIAR SU ESTUDIO

1. ¿Qué significó la conversión de Cornelio?
2. ¿Por qué dio Dios a Pedro la visión reseñada en los versículos 9-16? ¿Cuál fue el efecto de esta visión sobre Pedro?
3. ¿Cuál fue el punto clave del sermón de Pedro en la casa de Cornelio?

La noticia de lo sucedido en Cesarea llegó pronto a la glesia de Jesuralén. Los cristianos judíos no acusaron a Pedro de estar predicando de una manera inadecuada, sino que le preguntaron: "¿Por qué has entrado en casa de hombres incircuncisos, y has comido con ellos?"

EL INFORME DE PEDRO (11:1-18)

Pedro respondió resumiendo los sucesos que rodearon la conversión de Cornelio, incluyendo la visión que había tenido y la presencia del Espíritu. El testimonio de Pedro y sus seis compañeros convenció a los de Jerusalén. Todos se regocijaron de que Dios estuviera llamando a los gentiles al arrepentimiento y a la vida.

■ *El mensaje de Lucas en este relato sobre el*
■ *informe de Pedro es que nadie se puede opo-*
■ *ner a Dios o a la difusión de su evangelio.*

EL TESTIMONIO DE LA IGLESIA DE ANTIOQUIA A LOS GENTILES (11:19-30)

El capítulo 11 de Hechos está dedicado a las actividades de la misión de la iglesia a los gentiles. Dos iglesias diferentes representaron papeles de primera importancia. Una fue la iglesia de Jerusalén, dirigida por los apóstoles, la cual estaba integrada esencialmente por cristianos judíos que hablaban arameo. Esta iglesia reconoció la dirección divina en el testimonio de Pedro en la casa de Cornelio y llegó a la conclusión que Dios también quería que los gentiles vinieran al arrepentimiento y a la vida.

Antioquía de Siria

Antioquía era la tercera ciudad más grande del Imperio Romano. Sólo Roma y Alejandría la aventajaban en tamaño. Fue fundada en las márgenes del río Orontes en el año 300 a.J. C. por Seleuco Nicator. Desde su fundación se desarrolló activamente como una ciudad marítima con su propio puerto. Estaba situada a unos cuatrocientos ochenta kilómetros al norte de Jerusalén y allí se establecieron muchos judíos de la Diáspora. Muchos de los gentiles de Antioquía de Siria habían sido atraídos por el judaísmo.

La segunda iglesia fue la de Antioquía de Siria, la cual había sido fundada por los helenistas, aquellos cristianos judíos de lengua griega que salieron de Jerusalén después del martirio de Esteban. Esta iglesia comenzó a tomar ánimo con el ejemplo del trabajo de Pedro y salió para alcanzar al mundo gentil.

Crecimiento en Antioquía (vv. 19-21)

Cientos de personas de esa ciudad creyeron en el Señor Jesús y se constituyeron ellos mismos en una iglesia fuerte. En realidad, la iglesia de Antioquía pronto se convirtió en la gran cabeza de puente desde donde promovieron las misiones hacia el mundo gentil. En la narración de Lucas encontramos que el apóstol Pablo adoptó a la iglesia de Antioquía como su hogar espiritual.

Bernabé es enviado a Antioquía (vv. 22-24)

La iglesia de Jerusalén envió a Bernabé para que se cerciorara del impresionante éxito del evangelio en Antioquía. El aceptó con entusiasmo este encargo de visitar esta congregación, y se regocijó cuando comprobó que Dios moraba en los creyentes de Antioquía. Mientras se encontraba en esa ciudad, exhortó a los creyentes a permanecer fieles. Debido a su predicación, muchos más vinieron a la fe.

Bernabé recluta a Saulo (vv. 25, 26)

Debido al éxito que estaba teniendo el movimiento misionero, Bernabé necesitaba ayuda y de inmediato pensó el Pablo, quien se encontraba en el área de su Cilicia nativa. El había partido hacia allá luego de su primera visita a Jerusalén, después de su conversión. Cuando finalmente Bernabé localizó a Pablo, lo trajo consigo para Antioquía, donde ambos se ocuparon con empeño en la predicación y en la enseñanza a "gran número" de discípulos.

Envío de ayuda a Jerusalén para aliviar la hambruna (vv. 27-30)

Uno de los dones del Espíritu a la iglesia fue el de la profecía. Es posible que los creyentes que sentían haber recibido ese don se agruparan en una "escuela de profetas", tal como sucedía en los días del Antiguo Testamento. Uno de estos grupos vino a Antioquía.

Agabo, un integrante de ese grupo, profetizó una hambruna, la cual en efecto ocurrió. Es evidente que la iglesia de Antioquía no pasó por lo peor de la hambruna, y así pudo recolectar fondos para enviarlos a la iglesia madre en Jerusalén a fin de ayudarles en su necesidad.

- *La iglesia de Antioquía representó otro paso en*
- *el avance del evangelio más allá de Judea y*
- *Siria. Fue en Antioquía donde, por primera*
- *vez, los discípulos fueron llamados cristianos.*

PREGUNTAS PARA GUIAR SU ESTUDIO

1. Cuando Pedro informó a la iglesia de Jerusalén, ¿cuál fue la respuesta de ellos?
2. ¿Cuáles eran las características de la iglesia de Antioquía? ¿Cómo reaccionaron ante la inclusión de gentiles en la iglesia?
3. Describa el ministerio de Bernabé. ¿Cuál fue su papel en la iglesia primitiva?

Hambruna en Jerusalén

Lucas ubica la hambruna en Jerusalén dentro de la cronología del Imperio Romano. De hecho, Lucas determina que esta hambruna que azotó a gran parte del imperio, ocurrió durante el reinado de Claudio, lo cual ha sido confirmado por otras fuentes de la época, como los escritos del historiador romano Suetonio. Sin embargo, la principal razón que llevó a Lucas a mencionarla fue para demostrar que los cristianos gentiles de Antioquía participaron en el esfuerzo de aliviar sus estragos en Jerusalén.

Herodes Agripa I

Herodes era el nombre de la familia gobernante en Palestina antes y durante la primera mitad del primer siglo del cristianismo. La información que nos ha llegado sobre ella ha sido por lo general escasa. Esta era una familia compleja, contradictoria y difícil de armonizar. La principal fuente de información son las referencias en el Nuevo Testamento y las del historiador judío Flavio Josefo, además de algunas oscuras referencias de historiadores romanos como Casio, Plutarco y Estrabo. Herodes Agripa I era el hijo de Aristóbulo y nieto de Herodes el Grande. Gobernó con el título de rey desde el año 41 al 44 d. J.C.

PERSECUCION DE LOS APOSTOLES ORDENADA POR HERODES AGRIPA (12:1-5)

Durante el tiempo en que la iglesia de Antioquía enviaba su ayuda para aliviar la hambruna en la iglesia de Jerusalén, se desató otra etapa de persecución. Esta vez tenía un sentido tanto político como religioso, ya que es difícil pensar en Herodes como un hombre religioso. Tal persecución pudo haber tenido motivaciones religiosas, como el tratar de agradar a las autoridades judías. Jacobo, el hermano de Juan, y uno de los pilares de la iglesia de Jerusalén, fue ejecutado. Pedro fue arrestado. Lucas habla del martirio de Jacobo de manera muy breve. Parece que no quería profundizar en ello, pero utilizó el incidente para establecer el escenario de lo que más quería resaltar, que era la liberación de Pedro por la mano de Dios.

■ *Herodes Agripa inició una etapa de persecu-*
■ *ción de los apóstoles, con resultados doloro-*
■ *sos. Jacobo, el hermano de Juan, fue ejecutado*
■ *y Pedro fue apresado y encarcelado.*

PEDRO ES LIBERADO DE LA CARCEL EN FORMA MILAGROSA (12:6-19A)

Pedro estaba anticipando una suerte similar a la de Jacobo y aguardaba su juicio. Herodes ordenó que Pedro fuese bien custodiado en la cárcel. Sin embargo, los planes de Herodes quedaron frustrados cuando Dios liberó a Pedro de la prisión.

Repentinamente, un ángel del Señor apareció y un resplandor celestial llenó la celda. Pedro estaba dormido y el ángel tuvo que despertarlo. Aún medio dormido, Pedro no sabía lo que estaba pasando. El ángel le dijo que se vistiera y se pusiera las sandalias. Pedro estuvo en actitud pasiva durante todo el incidente. Su "escape" fue en realidad un verdadero *rescate*.

De aquí Lucas nos lleva a la comunidad cristiana que estaba orando por Pedro con gran fervor. Este llegó a la casa de María, madre de Juan Marcos, y tocó a la puerta. Una muchacha llamada Rode fue a abrir, pero no lo hizo, sino que corrió al reconocer la voz de Pedro y anunció a los allí reunidos que Pedro estaba a la puerta de la casa. Aunque parezca irónico en este relato, nadie podía creer que Pedro hubiera sido rescatado de la prisión, aunque allí estaban reunidos orando por su liberación.

El versículo 17 nos proporciona tres importantes datos informativos. (1) El informe que Pedro les dio de su rescate milagroso, (2) la instrucción que dio para que avisaran a Jacobo, y (3) su marcha a otro lugar, donde pudiera encontrar refugio contra la furia de Agripa.

Los guardias que tenían la misión de vigilar a Pedro no pudieron evitar su rescate. Sin embargo, Herodes, en su locura, los hizo ejecutar cuando recibió la noticia.

■ *La oración ferviente de la iglesia llevó al res-*
■ *cate milagroso de Pedro de la prisión. Iróni-*
■ *camente, los mismos que oraron estaban*
■ *sorprendidos de que eso hubiera pasado.*

LA MUERTE DE HERODES (12:19B-23)

Hay dos puntos culminantes en este relato de la persecución de Herodes. Uno es la liberación de Pedro de las cadenas que lo aprisionaban. El

Las prisiones en el Nuevo Testamento

La situación de los prisioneros era deprimente en los tiempos del Nuevo Testamento, y el tener misericordia por tales personas es una virtud que Cristo espera de cada discípulo (Mt. 25:36, 39, 43, 44). Muchos personajes bíblicos fueron encarcelados por diversas razones. Juan el Bautista fue arrestado por criticar a Herodes Antipas. Pedro fue puesto bajo fuerte custodia, que consistía en estar encadenado, muchos guardias y puertas de hierro. Pablo, que a tantos había encarcelado, él mismo estuvo varias veces en prisión y, por los relatos de sus experiencias, tenemos una detallada imagen de lo que eran las prisiones en aquellos días. En Filipos, él y Silas fueron puestos bajo la vigilancia de un solo carcelero, quien los "metió en el calabozo de más adentro, y les aseguró los pies en el cepo" (Hch. 16:24).

otro es la espantosa muerte de Herodes. Cronológicamente, su muerte ocurrió en el lapso entre varios meses y un año después del rescate de Pedro. Los cristianos consideraron esta muerte horrible como una retribución por los sufrimientos que este rey les había causado.

Las ciudades de Tiro y Sidón estaban celebrando el haber restaurado sus relaciones y por ello declararon la celebración de un festival. Herodes lucía un manto hecho de hilo de plata que brillaba al sol mañanero. Mientras Herodes, en todo su esplendor, arengaba a la multitud, ellos gritaban: "¡Voz de Dios, y no de hombre! Al momento un ángel del Señor le hirió, por cuanto no dio la gloria a Dios; y expiró comido por los gusanos." Herodes murió cinco días después, según informa el historiador Flavio Josefo.

■ *La primera sección de Hechos termina con la*
■ *muerte de Herodes Agripa I. Lucas indica*
■ *implícitamente que la muerte de Herodes fue*
■ *consecuencia de la persecución que desató*
■ *contra los judíos cristianos.*

UN RESPIRO PARA LA IGLESIA (12:24, 25)
Con la desaparición repentina de Agripa terminó esta etapa de persecución de la iglesia y, una vez más, la palabra de Dios floreció

PREGUNTAS PARA GUIAR SU ESTUDIO
1. Describa el clima político imperante durante el reinado de Herodes Agripa. ¿Cómo reaccionó la iglesia a la persecución?
2. ¿Cómo reaccionaron los que oraban por Pedro ante la noticia de que éste había sido rescatado de la prisión? ¿Qué enseñanza podemos sacar de este relato?
3. ¿Por qué Dios fulminó a Herodes Agripa?

Bernabé

Los capítulos 13 y 14 comienzan con el relato de la misión "hasta lo último de la tierra". Este es el primer viaje misionero de Pablo y comenzó con el trabajo de él y Bernabé en Chipre y en la provincia romana de Galacia.

SAULO Y BERNABE SON APARTADOS PARA LA OBRA MISIONERA (13:1-3)

Hechos presenta a Pablo como el gran misionero explorando rutas para el cristianismo en áreas donde nunca antes se había oído del evangelio. Antioquía de Siria sirvió como base para este primer viaje misionero de Pablo. El siempre mantuvo estrechos lazos con estos creyentes a lo largo de toda su carrera misionera.

El llamado misionero vino a Pablo y a Bernabé mientras adoraban con la iglesia. La revelación que tuvieron fue interpretada como venida directamente del Espíritu Santo. La congregación respondió en fe, y las instrucciones para apartar a Pablo y a Bernabé y enviarlos en misión fueron obedecidas con prontitud.

Bernabé era un levita nativo de la isla de Chipre. Su nombre era José, hasta que los discípulos le pusieron el sobrenombre de Bernabé, que significa "hijo de consolacion." El siempre hizo honor al nombre. Era un participante activo en la difusión del evangelio. Fue uno de los que vendió su heredad y entregó el precio de la venta a la iglesia de Jerusalén (Hch 4:36, 37). Fue él quien respaldó a Saulo de Tarso ante la iglesia de Jerusalén (9:26, 27).

■ *Cuando Pablo y Bernabé oyeron el llamado,*
■ *acudieron a la iglesia y ésta se hizo parte*
■ *integrante de la experiencia total. Para dar*
■ *su aprobación, así como su bendición, la con-*
■ *gregación impuso los manos sobre ellos y los*
■ *despidió hacia su misión.*

EL PROCONSUL SERGIO PABLO SE CONVIERTE EN CHIPRE (13:4-12)

La evangelización de Chipre fue similar a la de Samaria. Pablo y el evangelio tuvieron que

**El primer viaje
misionero de Pablo**

Esta primera salida de
Pablo hacia el mundo
gentil comenzó en
Antioquía de Siria y lo
llevó a la isla de
Chipre y a otras
ciudades de tierra
firme como Perge,
Antioquía de Pisidia,
Iconio, Listra y Derbe.
Desde esta ciudad
regresó por la misma
ruta a tavés de las
ciudades que había
visitado. Finalmente
partió desde el puerto
de Atalia para su
retorno a Antioquía de
Siria.

La política
misionera de Pablo
consistía en entrar a
una ciudad y
establecer una
comunidad de
creyentes con los que
respondían al
evangelio. De ahí
partía para otra
ciudad cuando le
presionaban las
autoridades locales, o
por otros signos
evidentes de
dirección divina.
Bernabé acompañó a
Pablo durante este
primer viaje, y Juan
Marcos sirvió de
colaborador durante
una parte del viaje.
(Ver mapa con la ruta
seguida por el "Primer
viaje misionero de
Pablo", en la pág. 53

superar la oposición de los practicantes de la
magia. En este caso, Elimas el mago resultó un
poderoso obstáculo para Pablo, así como Simón
el mago lo fue para Pedro. En Elimas se juntaban
tanto la amenaza de la magia como la oposición
de los judíos. El triunfo de Pablo en este incidente demostró el poder del evangelio y del
Espíritu para luchar contra cualquier oposición,
especialmente la de la magia. Este suceso alentó
la fe del procónsul romano Sergio Paulo. Por
último, casi como una nota al pie, Lucas menciona que el otro nombre de Saulo era Pablo.
(Aparentemente Saulo había latinizado su nombre a Pablo y así se le nombra durante el resto de
su vida.) Hasta este momento Lucas se había
referido a él por su nombre hebreo, Saulo, sin
hacer ninguna alusión a su estatus social.
Cuando Pablo se internó más en el Imperio
Romano, Lucas cambió los nombres.

■ *El triunfo de Pablo al demostrar el poder del*
■ *evangelio para luchar contra la oposición,*
■ *especialmente contra la magia, resultó en la*
■ *conversión del procónsul romano Sergio*
■ *Paulo.*

El escenario (vv. 13-16a)

El resto de Hechos 13 se centra en Antioquía de
Pisidia y consiste de tres partes principales: (1)
El viaje de Pablo a Antioquía y la preparación
del escenario para su discurso en la sinagoga,
(2) el mensaje de Pablo en la sinagoga, y (3), la
respuesta de los judíos y los gentiles con motivo
de la segunda visita a la sinagoga.

El discurso de Pablo en la sinagoga de Antioquia de Pisidia (13:16b-41)

Este es el primer discurso de Pablo del que tenemos constancia. Tiene mucho en común con los discursos de Pedro: El énfasis sobre la responsabilidad de los judíos por la muerte de Jesús, el contraste entre la muerte en la cruz y el triunfo de la resurrección, el testimonio apostólico, el respaldo bíblico utilizado al punto de usar los mismos textos en varias oportunidades. Este sermón también se parece al de Esteban en lo que se refiere al esquema introductorio de la historia de los judíos. Aunque Esteban usó hechos históricos del Antiguo Testamento para describir la rebelión de los judíos contra los líderes que Dios les había enviado. Pablo los usó para demostrar la fidelidad de Dios a sus promesas para Israel, promesas que fueron cumplidas en Cristo.

Pablo dirigió este discurso a los hombres de Israel y a las personas temerosas de Dios.

Los "temerosos de Dios" eran aquellos gentiles que creían en Dios, que practicaban el judaísmo, aunque no eran creyentes del todo comprometidos. Pablo enfatiza que los judíos eran gente escogida, no por sus méritos, sino por la gracia de Dios.

■ *La presentación de Pablo fue diseñada de tal*
■ *modo que demostraba que Jesús era el Mesías*
■ *prometido en el Antiguo Testamento, que*
■ *Jesús había muerto crucificado habia resuci-*
■ *tado, y que el perdón de los pecados estaba*
■ *siendo ofrecido a través de Cristo.*

DESPUES DEL SERMON (13:42-52)

La primera reacción de los oyentes de Pablo en la sinagoga fue favorable. En efecto, fue tan convincente que "muchos... siguieron a Pablo y a Bernabé" y al "siguiente día de reposo se juntó casi toda la ciudad para oír la palabra de Dios". Los líderes judíos respondieron a la popularidad de Pablo con celos y blasfemias. Dado que los judíos rechazaban el evangelio, Pablo y Bernabé dejaron bien claro que irían entonces a presentarlo a los gentiles.

■ *Pablo y la iglesia cristiana tuvieron que*
■ *luchar a menudo para convencer a la gente*
■ *de que su adoración era diferente a la de*
■ *otras ceremonias religiosas. De ahí que,*
■ *cuando los judíos incitaron a mujeres piado-*
■ *sas y hombres prominentes en la ciudad con-*
■ *tra Pablo y Bernabé, esto significó un serio*
■ *problema para ellos.*

PREGUNTAS PARA GUIAR SU ESTUDIO

1. ¿Qué demostró a la gente de Chipre la derrota de Elimas el mago?
2. ¿Cuál fue el punto clave del discurso que Pablo dirigió a los judíos de Antioquía de Pisidia?
3. Describa la forma en que la multitud judía reaccionó ante el sermón de Pablo.

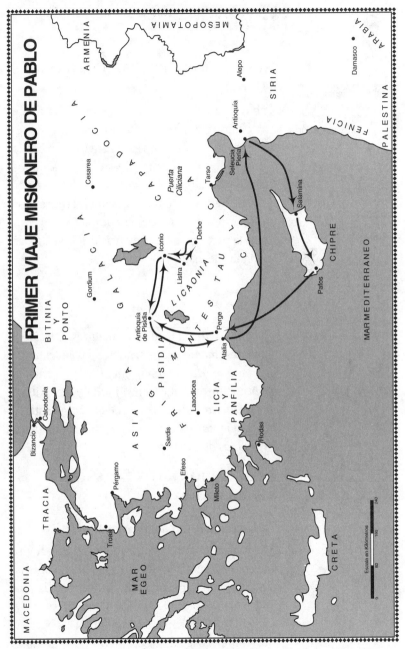

PRIMER VIAJE MISIONERO DE PABLO

Tomado de John B. Pohill, *Hechos*, vol. 26, New American Commentary [Nuevo Comentario Americano] (Nashville, Tennessee: Broadman & Holman Publishers, 1992) pág. 58.

Iconio

Iconio era una ciudad del Asia Menor. En ella Pablo soportó y sufrió persecución (2 Ti. 3:11). Su ubicación es la misma que hoy ocupa la capital de la provincia turca de Konya. Iconio es mencionada por primera vez en el siglo cuarto antes de Cristo por el historiador Jenofonte. En el Nuevo Testamento fue considerada como parte de la provincia romana de Galacia. Es evidente que ha seguido existiendo desde su fundación.

ACEPTACION Y RECHAZO EN ICONIO (14:1-7)

Pablo y Bernabé dejaron Antioquía de Pisidia y marcharon rumbo a Iconio hacia el este. Comenzaron su trabajo en la sinagoga, pero la oposición era creciente. De nuevo, los judíos trataron de alterar los ánimos de los gentiles para incitarlos a lapidar a Pablo y Bernabé. Los misioneros descubrieron el complot y huyeron hacia la parte sur de la provincia de Galacia, a las ciudades de Listra y Derbe.

■ *Pablo siguió el modelo de dejar establecido*
■ *un testimonio en los centros de población*
■ *más importantes. En Iconio, Pablo y Bernabé*
■ *presentaron el mensaje a judíos y a gentiles.*
■ *Al enterarse del complot de las autoridades*
■ *para matarlos, huyeron hacia las ciudades*
■ *vecinas de Listra y Derbe.*

PREDICACION A LOS PAGANOS EN LISTRA (14:8-21A)

La curación de un hombre cojo (vv. 8-10)

Mientras estaba en Listra, Pablo curó a un hombre cojo. La curación de este lisiado tiene mucha similitud con la curación de Eneas operada por Pedro en Lida (9:32-35), y también es muy parecida a la curación del paralítico a las puertas del templo. Al igual que el anterior, este hombre había nacido paralítico, y ambos saltaron al instante sobre sus pies cuando el Señor los sanó.

Homenaje a Pablo y a Bernabé (vv. 11-13)

Este milagro precipitó una notable reacción de parte de los nativos de Listra, pues quisieron ofrecerles sacrificios como si fueran dioses. "Dioses bajo la semejanza de hombres han descendido a nosotros", exclamaron, y pensaban que Pablo era Mercurio y que Bernabé era Jupiter.

Pablo y Bernabé quedaron consternados (vv. 14-18)

Este intento de ofrecerles sacrificios como a dioses causó una fuerte reacción de parte de Pablo y Bernabé, que hizo que rasgaran sus vestiduras y protestaran con un sermón de exhortación (vv. 14-18). Pablo los animó a dejar su vana adoración y volverse hacia el verdadero y único Dios viviente, creador de todo lo que vive. Pablo enfatizó tres cosas acerca de Dios:

1. Dios es el creador de toda vida.
2. Dios es tolerante y misericordioso.
3. Dios se ha revelado a sí mismo en hechos providenciales en la naturaleza.

Pablo comienza poniendo como ejemplo cosas bien conocidas por estos gentiles:

1. Lluvia del cielo.
2. Cosechas en su tiempo.
3. Abundancia de comida que trae alegría.

Les pide que le dejen hablar sobre el Unico que les provee de estas cosas. Lucas refiere que, a pesar de ese esfuerzo, Pablo y Bernabé tuvieron dificultades para evitar que la multitud les ofreciera sacrificios como a dioses.

Pablo y Bernabé son rechazados (vv. 19, 20a)

Aunque parezca irónico, el ministerio en Listra terminó cuando la multitud se volvió contra Pablo e intentó lapidarlo. Judíos de Antioquía e Iconio habían seguido a Pablo hasta Listra e

Mercurio y Jupiter

Debido a que Pablo era el que más intervenía en la exposición pensaron que debía ser Mercurio, el dios griego de la elocuencia y mensajero de todos los demás dioses. A Bernabé lo llamaron Jupiter, el rey de los dioses griegos. Según una antigua leyenda, Jupiter y Mercurio alguna vez vinieron a la tierra como humanos. Los arqueólogos han descubierto inscripciones en esta región dedicadas a estos dioses.

55

Derbe

Derbe era una ciudad importante en la región de Licaonia, en la provincia de Galacia, en el Asia Menor. Aparentemente estaba cerca de la actual Kerti Huyuk. Los residentes de Derbe y Listra hablaban un lenguaje diferente al de hablaba la gente más al norte en Iconio. Pablo visitó Derbe en su primer viaje misionero, cuando huía de Iconio. La persecución que ocurrió en Listra condujo a una exitosa presentación del evangelio en Derbe. En su segundo viaje misionero Pablo regresó a Derbe, y parece ser que también la visitó en su tercer viaje misionero. Gayo, el compañero de misiones de Pablo, era nativo de Derbe.

influyeron en el ánimo de la multitud, y ésta lo apedreó y lo dieron por muerto.

Lucas hace notar que los discípulos de Listra rodearon el cuerpo de Pablo, y él se levantó y entró en la ciudad. Este hecho debió infundir un gran ánimo a los creyentes, y también debió ser una gran sorpresa para los que pensaron que habían matado a Pablo.

Como no era seguro permanecer en Listra, Pablo y Bernabé salieron al día siguiente para la vecina Derbe.

■ *La inestable muchedumbre, influida por los*
■ *judíos venidos de Antioquía y de Iconio, cam-*
■ *bió de parecer, se volvió contra Pablo y, apa-*
■ *rentemente, se unió en la lapidación. Pablo*
■ *fue dado por muerto por la vengativa turba,*
■ *pero al rodearlo los discípulos se recuperó y*
■ *regresó a Listra, para de allí partir hacia*
■ *Derbe, ciudad que distaba unos ochenta kiló-*
■ *metros.*

EL MINISTERIO EN DERBE (14:20B, 21A)

Lucas tan sólo nos da información esencial sobre el éxito que tuvo el testimonio en Derbe, y que muchos discípulos fueron ganados para el Señor. Derbe fue la ciudad más hacia el este donde se estableció una iglesia en este viaje misionero de Pablo y Bernabé.

EL REGRESO DE LOS MISIONEROS A ANTIOQUIA (14:21B-28)

Pablo y Bernabé terminaron su gira misionera y regresaron por el mismo camino para visitar de nuevo a todas las iglesias que habían establecido. Algo importante de notar es el hecho que establecieron ancianos en cada una de ellas.

■ *El viaje misionero terminó donde había*
■ *comenzado, en Antioquía de Siria. Pablo y*
■ *Bernabé presentaron un informe de todo lo*
■ *ocurrido en Asia Menor, dando especial*
■ *énfasis a la manera en que Dios "había*
■ *abierto las puertas de la fe a los gentiles".*

PREGUNTAS PARA GUIAR SU ESTUDIO

1. ¿Cómo trató la gente de Iconio a Pablo y a Bernabé? ¿Cuál era por lo general el meollo de la oposición judía?
2. ¿Cuáles eran la tres verdades principales contenidas en el mensaje de Pablo a los paganos de Listra?
3. Cuando Pablo y Bernabé completaron su misión volvieron sobre sus pasos para regresar al punto de partida. ¿Qué hicieron para fortalecer el liderazgo de las iglesias que habían establecido cuando volvieron a visitarlas?

Hechos 15 no sólo es el punto medio de la narración, sino que también es el centro del desarrollo del esquema total de la misma. La primera mitad de Hechos se concentra en la comunidad judía, especialmente sobre la influyente iglesia de Jerusalén. Fue allí donde comenzó el testimonio cristiano y donde los creyentes dieron los primeros pasos para el gran esfuerzo de alcanzar al mundo gentil. El escenario está ahora preparado para la misión de Pablo al corazón del mundo grecorromano como *el* misionero a los gentiles.

DEBATE SOBRE LA ACEPTACION DE LOS GENTILES (15:1-35)

Esta sección se divide en forma natural en cuatro partes: La introducción, el debate en Jerusalén, la solución final y la conclusión del debate.

Las críticas de los de la circuncisión (vv. 1-5)

Había muchos gentiles en la iglesia de Antioquía, y no hay nada que indique que ellos habían sido circuncidados cuando se unieron al compañerismo cristiano. Esto perturbaba a algunos cristianos judíos que habían venido de Judea, quienes insistían en que la circuncisión era necesaria para la salvación.

El debate en Jerusalén (vv.6-21)

Había dos testigos de gran peso que defendían que los gentiles no debían ser agobiados por la carga de la circuncisión y la ley. Pedro habló primero, y luego Santiago. Lucas antepone al relato de ambos discursos, breves resúmenes para definir el contexto de la conferencia.

El discurso de Pedro recordó al grupo reunido la obra del Espíritu en la conversión del primer gentil, Cornelio. Pablo y Bernabé también se refirieron a la obra maravillosa de Dios en sus experiencias con los gentiles. La intervención final correspondió a Santiago.

La decisión tomada en Jerusalén (vv. 22-29)

Santiago, el medio hermano de Jesús, había llegado a ser reconocido como líder de la iglesia de Jerusalén. Después del debate y los testimonios, él emitió su opinión, la cual fue ratificada por la asamblea. Santiago habló oponiéndose al espíritu que estaba prevaleciendo en la iglesia de Jerusalén. Fue firme al mantener que los cristianos gentiles no debían ser agobiados con las costumbres judías sino que, en lugar de eso, y por el bienestar de su alma deberían abstenerse de "lo sacrificado a los ídolos, de sangre, de ahogado y de fornicación". Las regulaciones dietéticas eran algo formalistas. Era como si Santiago les hubiera dicho: "Los hemos liberado de la circuncisión. Ayúdennos un poco a mantener la imagen observando estas inofensivas restricciones de alimentos."

Esta decisión complació a todos. Por disposición del concilio y de la glesia de Jerusalén, seleccionaron emisarios que viajarían a las iglesias gentiles a llevarles estas noticias de liberación.

Los hermanos de Jesús

Durante el ministerio de Jesús, sus hermanos no eran creyentes. De manera específica, Pablo refiere una aparición de Jesús resucitado a Jacobo (1 Co. 15:7). Después de la resurrección y la ascensión, se dice que los hermanos de Jesús estuvieron con los apóstoles y otros creyentes en Jerusalén (Hch 1:14).

■ *La decisión de Santiago estableció que los*
■ *gentiles no serían estorbados cuando se*
■ *hicieran cristianos ni tendrían necesidad de*
■ *someterse a la circuncisión. Sin embargo, en*
■ *la práctica, el concilio exigió a los cristianos*
■ *gentiles que se abstuvieran de ciertas prácti-*
■ *cas que podrían llegar a crear tensión en las*
■ *relaciones con los cristianos judíos.*

Juan Marcos

Juan Marcos era un misionero y líder de la iglesia primitiva. Fue el autor del Evangelio según Marcos. Era hijo de María, en cuya casa se reunieron los creyentes para orar por Pedro cuando fue encarcelado por Herodes Agripa I (Hch 12:12). En ocasiones aparece con su nombre judío, Juan, y en otras por su nombre romano, Marcos. Era primo de Bernabé (Col. 4:10). Después de que Bernabé y Pablo completaron su misión de auxilio a Jerusalén, tomaron a Marcos consigo y regresaron a Antioquía. Cuando Bernabé y Pablo salieron como misioneros, llevaron a Marcos como ayudante. De Antioquía salieron para Chipre, y luego a Panfilia, donde Marcos los dejó (13:13).

La razón más probable por la cual los dejara fue porque Pablo había tomado el mando y había decidido llevar el evangelio a los gentiles.

La decisión es transmitida a Antioquía (vv. 30-35)

Antioquía aparece en Hechos como el primer lugar a donde se enviaron la buenas noticias. Silas y Bernabé fueron los emisarios y al llegar leyeron la carta y ampliaron la información sobre su contenido, lo cual fue recibido con gran regocijo por los de cristianos de Antioquía.

El Concilio de Jerusalén marca la culminación del primer viaje misionero y sirve como catalizador para el segundo viaje. El ímpetu de este segundo viaje misionero fue, en buena parte, consecuencia del inspirado mensaje preparado por la iglesia de Jerusalén para las iglesias del Asia Menor. Si Pablo necesitaba de una razón para arrancar de nuevo, todo lo que había que hacer era darle la mayor urgencia a la entrega e interpretación de esta carta.

Vea en la página 115 la "Armonización de los viajes misioneros de Pablo con las epístolas paulinas". Allí encontrará información resumida sobre el primer viaje misionero.

PABLO Y BERNABE SE SEPARAN (15:36-41)

Pablo propone otro viaje (v. 36)

"Después de algunos días" Pablo sugirió a Bernabé que volvieran a visitar "todas la ciudades" en las que habían establecido iglesias en su primera gira misionera. La forma imprecisa de referirse al momento es quizá una manera significativa que usó Lucas para marcar una nueva división importante en su narración.

Desacuerdo sobre Juan Marcos (vv. 37, 38)

Pablo y Bernabé decidieron ir por rutas diferentes. La razón para esa decisión fue Juan Marcos y fue la consecuencia de un serio desacuerdo entre ellos. Este era primo de Bernabé, quien había sugerido que los acompañara, así como lo había hecho en el primer viaje misionero (13:5). Pablo consideró que no era una decisión sabia, puesto que Marcos los había abandonado en ese viaje (v. 13). También es posible que haya habido un choque de caracteres entre Pablo y Marcos.

Sea cual fuere la razón, lo cierto es que Pablo y Bernabé tuvieron un fuerte desacuerdo y, no habiendo podido superarlo, su única alternativa fue separarse.

Pablo y Silas (vv. 39-41)

Como Pablo necesitaba un compañero idóneo para el viaje, escogió a Silas. Ambos salieron desde Antioquía caminaron hacia el norte y visitaron las iglesias de Siria y Cilicia.

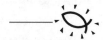

Reconciliación de Pablo y Juan Marcos

Cuando escribió la carta a Filemón, Marcos aparece como uno de los del grupo de Pablo, y allí enviaba sus saludos. Pablo escribió a los colosenses y les pidió que recibieran a Marcos cuando los visitara (Col. 4:10). Cuando Pablo escribió su última epístola a Timoteo, le pidió que trajera consigo a Marcos, pues consideraba que le era un útil colaborador.

■ *Después del desacuerdo sobre los compañe-*
■ *ros de viaje, Pablo y Bernabé se separaron.*
■ *Como consecuencia, Bernabé y Marcos deci-*
■ *dieron viajar a Chipre, y Pablo y Silas salie-*
■ *ron para comenzar el segundo viaje*
■ *misionero a través de Asia Menor y Grecia.*

PREGUNTAS PARA GUIAR SU ESTUDIO

1. Describa el debate que tuvo lugar en Jerusalén. ¿Cuál fue el asunto sobre el que había que tomar una decisión?

2. ¿Cómo resolvió Santiago el asunto planteado? ¿Cómo respondió la asamblea a su decisión?

3. ¿Por qué se separaron Pablo y Bernabé? ¿Piensa usted que esta separación perjudicó los esfuerzos misioneros de la iglesia?

Silas

Silas era un líder en la iglesia primitiva de Jerusalén. Acompañó a Pablo y a Bernabé en viajes misioneros separados. Una de sus primeras misiones fue la de llevar noticias del Concilio de Jerusalén a los creyentes de Antioquía de Siria.

61

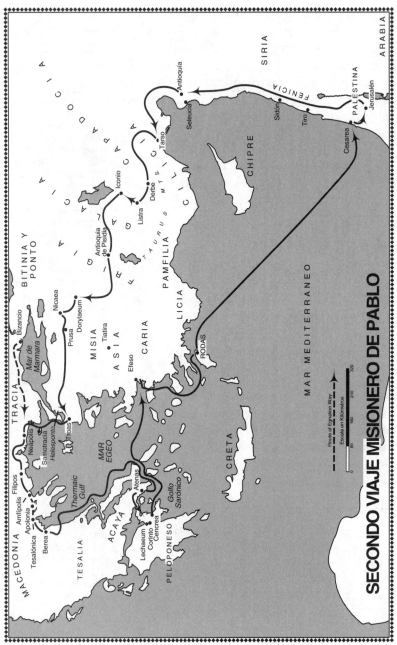

Tomado de John B. Pohill, *Hechos,* vol. 26, New American Commentary [Nuevo Comentario Americano] (Nashville, Tennessee: Broadman & Holman Publishers, 1992) pág. 59.

DERBE, LISTRA E ICONIO SON VISITADAS DE NUEVO (16:1-5)

Durante el primer viaje misionero Pablo y Bernabé llegaron hasta Listra y Derbe. Cuando dejaron esa zona de Asia Menor, los judíos se opusieron de tal manera a su ministerio que se vieron obligados a salir de allí apresuradamente. Lo que se proponía Pablo ahora en este viaje era fortalecer las iglesias que habían quedado establecidas en el viaje anterior. En Listra tenía un especial interés en ver a Timoteo, un joven discípulo que había aceptado a Cristo durante la primera visita del apóstol a este lugar.

Pablo aceptó la recomendación de los creyentes en cuanto a Timoteo y se lo llevó como compañero de equipo. Circuncidó a Timoteo para que fuera bien aceptado por los cristianos judíos.

- El primer viaje misionero de Pablo llegó hasta
- Listra y Derbe. En este segundo viaje, el pro-
- pósito de Pablo era reforzar las iglesias que
- habían sido establecidas en el viaje anterior.

INVITADOS A MACEDONIA (16:6-10)

Pablo, Silas y Timoteo salieron rumbo al norte, posiblemente desde Antioquía de Pisidia, a través de Frigia y Galacia. Pero Dios tenía otros planes para los misioneros. El Espíritu les prohibió predicar la Palabra en Asia, y entonces intentaron ir a Bitinia, pero otra vez el Espíritu se lo impidió.

Dios le dio una visión a Pablo, quizá en un sueño durante la noche. Se le apareció un varón macedonio y le rogaba que pasara a Macedonia

Timoteo

Este nombre significa "El que honra a Dios". Cuando era un niño, su madre Eunice y su abuela Loida lo instruyeron en las Escrituras. Era nativo de Listra, y bien pudiera ser que se convirtió durante el primer viaje misionero de Pablo. Cuando éste volvió a Listra, Timoteo se había ganado el respeto de la comunidad y, ante esa realidad, Pablo lo invitó para que lo acompañara en ese segundo viaje misionero. Como el padre era griego, Timoteo no había sido circuncidado de niño.

a testificarles. Pablo entendió que esta visión era la forma en que Dios le llamaba a una misión en Macedonia, y para allá se encaminaron.

- ■ *Dos veces el Espíritu guió la dirección del*
- ■ *evangelio. En lugar de moverse hacia la*
- ■ *parte norte del Asia Menor, como Pablo*
- ■ *deseaba, el evangelio fue dirigido hacia el*
- ■ *mundo occidental.*

EL CAMBIO DE PRONOMBRES

En este punto (16:10), la narración cambia de la tercera a la primera persona plural. Este cambio resalta en los pasajes de Hechos que comienzan y terminan en Filipos, y una posible explicación para ello es que Lucas formaba parte de la visión de Pablo y que vivía en Filipos.

LA PREDICACION EN FILIPOS (16:11-40)

El resto de este capítulo 16 se refiere al trabajo de Pablo en Filipos, y se puede analizar en cuatro escenas separadas.

Lidia

Tiatira era el centro del negocio de teñidos en púrpura. Puesto que los artículos de púrpura eran muy costosos, es lógico pensar que Lidia era una mujer rica, y una que tenía que haber viajado mucho más que las otras mujeres de su época.

La fundación de la iglesia con Lidia (vv. 11-15)

Filipos tenía una población judía tan reducida que ni siquiera contaba con los diez hombres necesarios para fundar una sinagoga. Entre las mujeres que se habían reunido para orar estaba Lidia, una mujer vendedora de púrpura, de la ciudad de Tiatira, quien fue una de las que ecuchó con atención a Pablo. El hecho de ofrecer hospedaje en su casa a Pablo y su equipo misionero demuestra la sinceridad de su conversión. No sólo abrió su hogar a los misioneros, sino que ofreció su casa como lugar de reunión para toda la comunidad cristiana.

Curación de una joven endemoniada (vv. 16-24)

El versículo 16 abre una nueva escena que se enlaza con la anterior para formar una nueva narración. Una de las veces en que los cuatro misioneros salían de la ciudad hacia el lugar de oración, les salió al encuentro "una muchacha que tenía espíritu de adivinación, la cual daba gran ganancia a sus amos, adivinando".

Al igual que los endemoniados durante el ministerio de Jesús, era evidente que esta muchacha era capaz de captar la esencia de la predicación de Pablo, especialmente la realidad del Dios que proclamaba. La muchacha seguía a los misioneros constantemente y les gritaba: "Estos hombres son siervos del Dios Altísimo, quienes os anuncian el camino de salvación." Pablo, en una forma que recordaba los exorcismos de Jesús, ordenó al espíritu que dejara a la muchacha, y el espíritu salió de inmediato.

Sus amos, que se lucraban de su condición, perdieron la fuente de ingresos y se enfurecieron contra Pablo. Cuando vieron que su adivinadora estaba sanada, llevaron a Pablo y a Silas ante los magistrados que juzgaban en la ciudad en representación del emperador romano.

Sin abrirse aparentemente un verdadero proceso, les rasgaron las vestiduras, los azotaron y "los echaron en la cárcel, mandando al carcelero que los guardase con seguridad, el cual los metió en el calabozo de más adentro".

Hasta el versículo 17 aparece el relato en primera persona plural, y no vuelve a repetirse en Hechos hasta el regreso de Pablo a Filipos, lo cual se reseña en 20:6.

La conversión del carcelero y su familia (vv. 25-34)

En este acontecimiento podemos diferenciar dos partes. La primera se refiere a la liberación de Pablo y Silas de la cárcel, y la segunda tiene que ver con el carcelero y su familia.

Los carceleros de las cárceles romanas eran personalmente responsables por sus prisioneros y, en algunas circunstancias, pagaban con su vida la huida de los prisioneros.

La liberación. En medio de la noche Pablo y Silas cantaban himnos a Dios, y los presos los oían. Mientras cantaban y oraban un terremoto sacudió la cárcel; los barrotes y las puertas cedieron y las cadenas de los presos se soltaron. Quizá las cadenas estaban ancladas en los muros y se soltaron por la violencia del temblor.

El carcelero se despertó con el terremoto y vio que la puerta de la cárcel estaba abierta. Pensó que los prisioneros habían escapado y desesperado sacó su espada para suicidarse, pues prefería eso antes que pasar por la justicia romana.

Cuando Pablo se dio cuenta de llas intenciones del carcelero, le gritó: "No te hagas ningún mal, pues todos estamos aquí." Esta liberación milagrosa no los llevó a huir, sino a un hecho aún más significativo: La conversión del carcelero.

El testimonio. El carcelero, con teas y antorchas, entró en la cárcel y se arrodilló a los pies de Pablo y Silas. Pablo le había salvado la vida, y el Dios de Pablo, que en un instante había desbaratado toda la seguridad de la prisión, era por lógica al que había que respetar. La reacción del carcelero fue preguntar: "Señores, ¿qué debo hacer para ser salvo?"

La respuesta fue: "Cree en el Señor Jesucristo, y serás salvo, tú y tu casa." Luego entran en escena los miembros de la familia del carcelero, y todos vinieron por fe a Dios.

La humillación de los magistrados de la ciudad (vv. 35-40)

Al día siguiente los magistrados decidieron que Pablo y Silas ya habían tenido suficiente castigo por su delito. Así pues, sin darle al asunto mayor importancia, dieron la orden para que fueran liberados. Después de todo, habían sido azotados y habían pasado la noche en el calabozo, y todo eso sin que ni siquiera hubieran sido juzgados. A todas luces se trataba de un procedimiento ilegal. Ellos habían azotado y enviado a prisión a dos ciudadanos romanos sin que mediara una condena formal, extralimitando así su autoridad.

Cuando los magistrados se enteraron de que habían maltratado y encarcelado indebidamente a unos ciudadanos romanos se asustaron. Los que condenaron sin juzgar se vieron a sí mismos como auténticos culpables de violar la ley.

Pablo insistió en que los magistrados fueran personalmente a liberarlos y escoltarlos hasta la salida. Los magistrados, asustados y nerviosos, fueron a sacarlos y les rogaron que salieran de la ciudad. Pablo y Silas se marcharon, pero sólo después de haber pasado algún tiempo con Lidia y los nuevos convertidos de la ciudad.

La ciudadanía romana de Pablo

Pablo era no solamente un "hebreo de hebreos", sino también un ciudadano romano. Los derechos de Pablo como ciudadano romano salieron a relucir, no sólo en esta oportunidad, sino que también lo vemos en Hechos 22:24-29, cuando estaba a punto de ser azotado, y en el episodio relatado en Hechos 25:10-12 cuando ejerció su derecho de apelar al emperador.

■ *Parte de la importancia de la conversión del*
■ *carcelero de Filipos está en que representa el*
■ *primer episodio registrado en que una per-*
■ *sona completamente ajena al judaísmo, un*
■ *pagano declarado, se convirtió en un cre-*
■ *yente en Jesucristo.*

PREGUNTAS PARA GUIAR SU ESTUDIO

1. Apoyado en los hechos en este capítulo, describa cómo dirijió el Espíritu Santo la difusión del mensaje del evangelio.

2. ¿Quién era Lidia? ¿Cómo ayudó ella a la difusión del cristianismo en su comunidad?

3. ¿Cuál fue el efecto del testimonio de Pablo y Silas sobre el carcelero en Filipos?

El éxito de Tesalónica

Más tarde Pablo escribió a los Tesalonicenses: "Y vosotros vinisteis a ser imitadores de nosotros y del Señor, recibiendo la palabra en medio de gran tribulación, con gozo del Espíritu Santo, de tal manera que habéis sido ejemplo a todos los de Macedonia y de Acaya que han creído. Porque partiendo de vosotros ha sido divulgada la palabra del Señor, no sólo en Macedonia y Acaya, sino que también en todo lugar vuestra fe en Dios se ha extendido" (1 Ts. 1:6-8a).

HECHOS 17

EL ESTABLECIMIENTO DE IGLESIAS EN TESALONICA Y BEREA (17:1-15)

Aceptación y rechazo en Tesalónica (vv. 1-9)

Pablo, Silas y Timoteo llegaron de Filipos a la ciudad portuaria de Tesalónica, distante a unos cien kilómetros. En esa época (como ahora) Tesalónica era la segunda ciudad de Grecia. Aquí Pablo retomó el esquema utilizado en su primer viaje misionero, y de nuevo su ministración en la sinagoga llevó a muchos judíos y gentiles a la fe salvadora. Sin embargo, los líderes judíos de la ciudad se les opusieron y, así como sucedió en Filipos, Pablo y Silas fueron acusados de insurrección y detenidos, pero les pidieron abandonar la ciudad en vez de encarcelarlos.

Testimonio en Berea (vv. 10-15)

Desde Tesalónica, los tres misioneros marcharon a Berea. Lucas describe a los judíos de Berea como "más nobles que los que estaban en Tesalónica". Eran más abiertos, tolerantes y generosos, y recibieron la exposición de las Escrituras de parte de Pablo con seriedad. Hicieron su propia investigación para ver si realmente las Escrituras hablaban de la muerte y resurrección del Mesías, como Pablo decía. Se reunieron diariamente para examinarlas. Esto explica el porqué algunos grupos contemporáneos de estudiosos de la Biblia se llaman a sí mismos "Bereanos".

Esta situación ideal no duró mucho tiempo. Aunque la recepción inicial había sido mucho mejor que en Tesalónica, Pablo fue de nuevo obligado a irse debido a la oposición promovida por los judíos de Tesalónica. Dejó allí a Silas y a Timoteo y partió para Atenas al sur.

Quizá la parte que más destaca de este pasaje es que en Berea creyeron griegos, tanto hombres como mujeres.

- ■ *A pesar de la oposición de los judíos locales,*
- ■ *el equipo misionero integrado por Pablo,*
- ■ *Silas y Timoteo estableció iglesias en las ciu-*
- ■ *dades griegas de Tesalónica y Berea.*

EL TESTIMONIO ANTE LOS FILOSOFOS (17:16-34)

La curiosidad de los atenienses (vv.16-21)

Pablo discutió en Atenas con los judíos en la sinagoga, y también llevó su testimonio al Ágora, la famosa plaza de mercado y reunión de la vida ateniense. Fue allí donde obtuvo la más notable respuesta, especialmente de algunos filósofos.

Los filósofos llamaron a Pablo "palabrero". Ellos no entendieron el concepto expuesto por Pablo sobre la resurrección. Los epicúreos no creían en ninguna forma de vida después de la muerte, y los estoicos creían que solamente el alma, la chispa divina, sobrevivía a la muerte. La respuesta de estos filósofos al concepto de la resurrección planteado por Pablo fue: "Parece que es predicador de nuevos dioses."

El testimonio de Pablo en el Areópago (vv. 22-31)

El discurso de Pablo en el Areópago fue una presentación del evangelio de una manera distinta a las descritas por Lucas hasta ese momento. Este discurso es una pieza maestra de retórica helenística. Pablo no comenzó haciendo referencia al Antiguo Testamento, sino que su

Atenas era en los días de Pablo apenas una sombra de su gloria en la edad de oro, en los siglos V y IV antes de Cristo. Hasta la población nativa de Atenas había disminuido, hasta el punto de no haber más de cinco mil ciudadanos hábiles para votar. Sin embargo, ese número aumentaba con los artistas, estudiantes y turistas que eran atraídos por Atenas, pues aún la consideraban el centro intelectual y cultural de Imperio Romano.

"Palabrero"

Cuando los filósofos llamaron a Pablo "palabrero" no lo estaban elogiando. Usaron palabra *spermologos* que significa "recogedor de semillas", la cual evoca la imagen de un pájaro recogiendo semillas en forma indiscriminada. También hacían referencia a alguien que recogía trozos de ideas aquí y allá para luego presentarlas como una profunda verdad sin siquiera entenderlas él mismo.

El Areópago

El Areópago fue el sitio de Atenas donde Pablo habló a los filósofos epicúreos y estoicos. Este era una colina rocosa como de unos ciento veinte metros de altura, no muy lejos de la Acrópolis y del Ágora (mercado). La palabra también se usaba para designar al concilio que originalmente se reunía en esta colina. Es probable que este nombre se derive de Ares, que es el nombre griego para el dios de la guerra, que los romanos llamaban Marte.

punto de refencia fue la filosofía y la literatura griegas. Pablo había observado que había en la ciudad un altar con la inscripción "AL DIOS NO CONOCIDO". Esto le dio la perfecta plataforma de lanzamiento para su presentación.

Pablo presentó en su discurso cuatro temas centrados en Dios:

El Dios creador. Se refirió a Dios como el que hizo el "mundo", un término familiar para todos los griegos. Una vez establecida la premisa del Dios creador, siguen dos conceptos. Primero, Dios "no habita en templos hechos por manos humanas". Segundo, Dios es totalmente suficiente en sí mismo y no necesita nada.

El Dios providencial: Los versículos de esta sección forman el centro del discurso. Enfatizan dos temas: (1) La providencia de Dios sobre la humanidad, y (2) la responsabilidad del hombre ante Dios.

La adoración a Dios. Esta sección es la base para la crítica que Pablo hace de la adoración idolátrica, y ello le da una "base en la Escritura" para su discurso. La Escritura no habría tenido ninguna significación para los griegos, por lo tanto, Pablo se dirigió a ellos, en lo posible, en sus propios términos, al igual que lo hizo con los ciudadanos de Listra (14:15-17). Si los griegos, de una forma genuina, habían aceptado la premisa principal de Pablo de que Dios es creador, entonces tendrían que haber reconocido que vivían en idolatría y, por lo tanto, reconocerían la necesidad de arrepentirse.

El juicio de Dios. Pablo concluyó afirmando que todos, al final, tendrán que rendir cuentas a Dios de la relación que han tenido con él. El argumento decisivo que produjo una interrupción abrupta del discurso de Pablo, fue la resurrección de entre los muertos. Al mencionar la resurrección, comenzaron a burlarse y se disolvió la reunión.

La respuesta mixta (vv. 32-34)

Algunos de los griegos se mofaron, mientras que otros querían oír otra vez a Pablo. Algunos respondieron en fe. Uno de los que creyó fue un hombre llamado Dionisio, miembro del círculo central de aeropagitas. Otra convertida cuyo nombre se menciona es Dámaris.

■ *El discurso de Pablo fue único en la forma de*
■ *llamar la atención del pensamiento filosófico*
■ *griego. Pablo mantuvo su identidad, aun en*
■ *medio del más cínico intelectualismo. El*
■ *resultado fue que algunos de los que oyeron*
■ *a Pablo vinieron a la salvación.*

PREGUNTAS PARA GUIAR SU ESTUDIO

1. ¿Cómo recibieron los de Berea a Pablo y a Silas? ¿Qué lograron en esta ciudad?
2. ¿Cuál fue el mensaje de Pablo a los griegos paganos? ¿Cuál fue su respuesta?
3. Las mujeres fueron prominente en las congregaciones griegas fundadas por Pablo. ¿Qué situaciones puede mencionar donde las mujeres fueron clave en la propagación del evangelio?

Corinto

Corinto estaba ubicada en el extremo sudoeste del istmo que une la parte sur de la península griega con el continente por el norte.

Corinto era una ciudad importante mucho antes de ser convertida en colonia romana en el año 44 a.C. Además de los escritos existentes de los autores antiguos, la arqueología moderna ha contribuido mucho al conocimiento del antiguo Corinto.

En los días de Pablo, Corinto era una ciudad cosmopolita compuesta de gente procedente de muchos lugares y culturas. Como estaba cerca del lugar donde se celebraban los juegos cada dos años, los corintios disfrutaron los placeres de estos juegos y de la riqueza que los visitantes traían a la ciudad. Los marineros venían a la ciudad a gastar su dinero en los placeres que les ofrecía Corinto, la cual era especialmente conocida por la vida licenciosa de sus habitantes.

EL ESTABLECIMIENTO DE LA IGLESIA DE CORINTO (18:1-17)

Desde Atenas, Pablo viajó a Corinto, ciudad que era un gran centro comercial. En los días de Pablo Corinto era la ciudad más grande y cosmopolita de Grecia.

La misión a Corinto (vv. 1-11)

Por la narración de Lucas conocemos que Pablo estuvo ministrando en esta ciudad por dieciocho meses. Hay tres cosas notorias en este pasaje. Primera, el encuentro de Pablo con Aquila y Priscila. Pablo encontró en estos cristianos judíos compañía y ánimo cuando más los necesitaba. Esta pareja, al igual que Pablo, tenía el oficio de hacer tiendas.

Segunda, Pablo fue a la comunidad judía en Corinto, quienes rechazaron su testimonio y lo maltrataron. En señal de protesta, Pablo sacudió el polvo de sus vestidos y les advirtió que él había cumplido su responsabilidad para con ellos, y que ellos tendrían que afrontar las consecuencias de sus pecados.

En Corinto Pablo tuvo libertad para predicar el mensaje sin obstáculos, aún entre semana. Mientras ministraba en Corinto tuvo el apoyo de otras iglesias, como lo vemos en 2 Corintios 11:8-10 y Filipenses 4:15-17 (Ver en página 115 el cuadro "Armonización de los viajes misioneros de Pablo con las epístolas paulinas").

Pablo es acusado ante el procónsul Galión (vv. 12-17)

Como resultado de la intensificación de los ataques de parte de a los judíos de Corinto, Pablo fue llevado ante el procónsul Galión y lo acusaron de persuadir "a los hombres a honrar a Dios contra la ley". La comparecencia de Pablo ante Galión es importante en dos aspectos. Primero, se estableció un precedente en cuanto a la forma en que los gobernantes romanos deberían considerar los cargos que les presentaran contra los cristianos. Segundo, la mención de Galión es un punto de referencia para determinar la fecha del trabajo de Pablo en Corinto y para establecer la cronología de la obra de Pablo.

Corinto fue uno de los cuatro centros más prominentes que el Nuevo Testamento relaciona con la iglesia primitiva. Los otros tres son: Jerusalén, Antioquía de Siria y Efeso. La primera ciudad en que Pablo tuvo un ministerio extenso fue Corinto. Después de haber visitado esta ciudad por primera vez, decidió quedarse por dieciocho meses. Tres epístolas de Pablo están relacionadas con la ciudad de Corinto.

- *Algunos judíos, buscando el castigo de Roma*
- *sobre Pablo, lo acusaron de promover una*
- *religión ilegal. Sin embargo, el procónsul*
- *Galión consideró que el cristianismo era una*
- *parte de judaísmo y le reconoció los derechos*
- *y privilegios que disfrutaba la religión judía*
- *en el Imperio Romano.*

EL REGRESO A ANTIOQUIA DE SIRIA (18:18-22)

Este pasaje nos proporciona una transición entre el segundo viaje misionero de Pablo y el tercero. Este quiso sacar ventaja del juicio favorable de parte de Galión, y para ello decidió quedarse varios meses más en Corinto, trabajando día y noche por la causa de Cristo.

Después de completar este ministerio de dieciocho meses en Corinto, Pablo y sus compañeros, incluyendo a Aquilas y a Priscila, viajaron a Efeso. En esta ciudad dejó Pablo a Aquilas y Priscila, mientras que él se dirigió a Antioquía de Siria, su base de operaciones.

El procónsul Galión, en su carácter de gobernador romano de la provincia de Acaya, tenía su sede en Corinto. Algunos judíos acusaron a Pablo ante Galión, buscando que éste lo castigara. Acusaron a Pablo de promover una religión ilegal. Galión consideró que el cristianismo era parte del judaísmo, y le reconoció los derechos y privilegios que la religión judía disfrutaba en el Imperio Romano. Galión rehusó juzgar tales disputas.

Apolos

Era un hombre culto que manejaba con gran propiedad y convicción las Escrituras del Antiguo Testamento. Sin embargo, carecía de un completo entendimiento del camino de Dios; entonces, Aquila y Priscila lo instruyeron. Esto hizo a Apolos realmente exitoso en su ministerio, fortaleciendo a los creyentes al enseñarles a usar las Escrituras para demostrar que Jesús era el Cristo.

Algunos comentaristas del Nuevo Testamento comparan a Apolos con Pablo o Pedro (1 Co. 1:12; 3:4-6, 22). En 1 Corintios 4:6, Pablo pone a Apolos a su mismo nivel. También se refiere a él como "su hermano" (1 Co. 16:12). Ambos lucharon por vencer la arrogancia y superioridad que provienen de ser egocéntrico en vez de Cristocéntrico. Debido al conocimiento que tenía Apolos del Antiguo Testamento, Martín Lutero llegó a sugerir que Apolos pudo haber sido el escritor de la epístola a los Hebreos.

■ *Con el regreso de Pablo a Antioquía, el esce-*
■ *nario se estaba preparando para su tercer*
■ *viaje misionero. Aquila y Priscila se encar-*
■ *garían de dar testimonio en Efeso hasta que*
■ *él regresara.*

APOLOS EN EFESO (18:23-28)

Hechos 18:24-28 menciona la llegada a Efeso de Apolos, un elocuente judío de Alejandría.

Apolos tenía un buen conocimiento de las Escrituras y hablaba con fervor y elocuencia. Sin embargo, él sólo conocía hasta el bautismo de Juan. Después de que Priscila y Aquila lo instruyeron sobre el tema, Apolos viajó a la provincia de Acaya y a la ciudad de Corinto, donde fue de gran ayuda para los que habían creído y también para refutar a los judíos incrédulos.

■ *Pablo comenzó su tercer viaje misionero.*
■ *Mientras tanto, en Efeso, un judío nativo de*
■ *Alejandría llamado Apolos, instruido en las*
■ *Escrituras del Antiguo Testamento, se con-*
■ *virtió en una figura clave en la difusión del*
■ *evangelio en la provincia de Acaya.*

PREGUNTAS PARA GUIAR SU ESTUDIO

1. Describa el ambiente de Corinto. ¿Por qué se opusieron muchos al mensaje de evangelio predicado por Pablo?
2. ¿En qué ayudó Apolos al liderazgo de la iglesia primitiva?
3. Describa la difusión del evangelio hasta este punto del relato de Hechos. Comente sobre la forma en que Dios armonizó las diferentes personalidades y eventos que contribuyeron a su expansión.

HECHOS 19

El tercer viaje misionero de Pablo tiene similitud con la narración de la pasión de Cristo. Como Jesús, Pablo decidió a Jerusalén, donde fue apresado, llevado ante las autoridades judías y romanas y entregado en manos de los romanos.

El tercer viaje misionero de Pablo

Pablo comenzó su tercer viaje misionero desde Antioquía de Siria. Viajó a través de Galacia y Frigia, provincias éstas que ya había visitado en los viajes misioneros anteriores. Uno de los objetivos clave de este viaje era el confirmar y fortalecer a todos los que habían creído en esas regiones. Este viaje de Pablo concluye con su llegada a Jerusalén en Hechos 21:17.

TESTIMONIO DE PABLO A LOS DISCIPULOS DE JUAN EL BAUTISTA (19:1-7)

Cuando Pablo llegó a Efeso se encontró con algunos discípulos de Juan el Bautista.

Al hablar con ellos se dio cuenta de que no habían avanzado más allá de la predicación inicial de Juan el Bautista respecto al arrepentimiento, lo cual no era sino la preparación para la venida del Mesías. De hecho, ni siquiera tenían noticia de los acontecimientos en el día de Pentecostés. Pablo les preguntó si habían recibido el Espíritu y ellos contestaron que "ni siquiera hemos oído si hay un Espíritu Santo".

Después de orar e imponerles las manos, el Espíritu vino sobre estos discípulos, y hablaron en lenguas y profetizaron. No aparece en Hechos, un patrón establecido que indique la forma en que ese don fue concedido. Fueron variadas las oportunidades y formas en que sucedió.

Ocasiones en que el Espíritu vino según Hechos

OCASION	PASAJE
Sobre los primeros judíos que creyeron	2:1-13
Sobre los samaritanos	8:14-17
Sobre los gentiles	10:44-48
Sobre los discípulos encontrados por Pablo en Efeso y cuyo concimiento era incompleto	19:3-7

■ *Pablo encontró a unos discípulos de Juan el*
■ *Bautista que ignoraban los acontecimientos*
■ *de Pentecostés. Cuando les explicó la pleni-*
■ *tud del bautismo de Jesús, ellos le pidieron*
■ *ser bautizados de nuevo. Pablo les impuso las*
■ *manos y recibieron el Espíritu.*

LA PREDICACION DE PABLO EN EFESO (19:8-12)

Pablo predicó el evangelio durante dos años en Efeso y en toda la provincia, "de manera que todos los que habitaban en Asia, judíos y griegos, oyeron la palabra del Señor Jesús".

Otro aspecto del ministerio de Pablo en Efeso incluía los milagros de Dios. Lucas los describe como algo "extraordinario", lo cual puede considerarse como una declaración bastante modesta. La gente tomaba la ropa que Pablo había tocado y la llevaba a los enfermos. Creía que las ropas que hubieran estado en contacto con el cuerpo del apóstol tenían capacidad de curar, y Lucas indica que eso era cierto.

El rompimiento con la sinagoga en Efeso marca una fase dolorosa en el desarrollo de la iglesia. De aquí en adelante, la separación entre judíos y cristianos, entre la sinagoga y la iglesia, sería cada vez mayor.

Efeso

Era una de la ciudades más amplias e impresionantes del mundo antiguo, capital de la provincia romana de Asia durante el reinado de Adriano. Esta ciudad jugó un papel muy importante en la expansión de la cristiandad.
En los días de Pablo, Efeso era quizá la cuarta ciudad en importancia en el mundo, con una población de 250.000 habitantes.

Hay otro aspecto del ministerio de Pablo entre los efesios que Lucas no elaboró con detalle, pero que se puede entresacar de las cartas de Pablo. Este período fue de una intensa interacción con las iglesias que había establecido en los diversos lugares. Es precisamente desde Efeso desde donde escribió su primera carta a los corintios.

■ *Durante tres meses Pablo argumentó y trató*
■ *de convencer a los judíos de Efeso acerca del*
■ *reino de Dios. Ellos, sin embargo, rechaza-*
■ *ron el mensaje de Pablo, quien durante dos*
■ *años más predicó el evangelio en Efeso y a*
■ *través de la provincia de Asia.*

LA LUCHA DE PABLO CON FALSAS RELIGIONES EN EFESO (19:13-20)

El ejemplo de Pablo haciendo milagros auténticos continúa con dos episodios que implican intentos falsos para lograr actuaciones milagrosas.

Los exorcistas judíos (vv. 13-16)

Un grupo de judíos exorcistas ambulantes que se decían hijos de Esceva, jefe de los sacerdotes (aunque, de acuerdo con los documentos disponibles, nunca existió tal sacerdote), viajaban por todo el imperio, según se suponía, echando fuera demonios. Vieron la obra de Pablo y le oyeron echar fuera demonios y sanar enfermos "en el nombre de Jesús".

Ellos pensaron que si esto funcionaba para Pablo también funcionaría para ellos. La próxima vez que se enfrentaron con un hombre que parecía estar poseído por demonios, ordenaron a los espíritus atormentadores diciendo: "Os conjuro por Jesús, el que predica Pablo."

El espíritu maligno les contestó: "A Jesús conozco, y sé quién es Pablo; pero vosotros, ¿quiénes sois?" Y, de repente, el hombre endemoniado saltó sobre ellos, los golpeó con fuerza sobrehumana, los desnudó y los hirió y salieron huyendo desnudos por las calles de Efeso.

La magia es vencida (vv. 17-20)

Este episodio muestra el triunfo del evangelio sobre la magia y el ocultismo. Para celebrar la victoria de la fe cristiana sobre la magia, Lucas informa de la memorable escena cuando muchos ciudadanos de Efeso que habían practicado la magia y la adivinación "trajeron los libros y los quemaron delante de todos", y se olvidaron por completo de ello. Los libros eran caros en aquellos días, y los libros de magia debían haber sido más caros. Lucas estimó que el valor de los libros quemados en Efeso era de unas cincuenta mil piezas de plata.

Efeso era un conocido centro de magia. La famosa estatua de Diana, el punto de atracción del templo dedicado a ella, era notoria por las palabras misteriosas grabadas sobre la corona, la banda de la cintura y los pies. A estas frases se les llamaba "los escritos efesios", y se consideraba que tenían gran poder.

Podemos sacar dos enseñanzas de este relato. La primera es que el cristianismo no tiene nada que ver con la magia. El nombre de Jesús no tiene ningún encanto mágico. El poder de Jesús echa fuera demonios, y su Espíritu sólo actúa a través de aquellos que, como Pablo, le confiesan y están comprometidos con él. Segunda, es que el demonio reconoció el poder de Jesús sobre él.

LA DETERMINACION DE PABLO DE IR A JERUSALEN (19:21, 22)

Hacia el final de su ministerio en Efeso, Pablo tomó la decisión de concluir su misión en las provincias orientales, ir a Jerusalén y desde allí a Roma.

OPOSICION A PABLO DE PARTE DE LOS ARTIFICES DE EFESO (19:23-41)

Demetrio, el líder de los artesanos, instiga una revuelta (vv. 23-27)

Pablo y sus amigos tuvieron tanto éxito en la campaña para ganar a la provincia romana de Asia para Cristo, que muchos creyeron, y se olvidaron de la diosa Diana y de los objetos de ese culto idólatra. Demetrio, un líder entre los plateros, se asustó tanto por la amenaza económica que la nueva fe significaba para su negocio, que solivantó a los demás plateros y sus obreros, y organizó un motín para protestar contra Pablo y otros líderes cristianos.

El alboroto en el teatro (vv. 28-34)

La instigación de Demetrio dio resultado y los artífices y sus obreros salieron a las calles gritando: "Grande es Diana de los efesios." (Es de notar que las consignas que voceaban apelaban a la religión y al orgullo cívico de la población.) Pronto se juntó una multitud, y echaron mano de dos compañeros de Pablo de origen macedonio.

La turba se dirigió al teatro, que era el sitio público de mayor amplitud en la ciudad. Este era un anfiteatro, con un diámetro de 165 metros, construido en la ladera occidental del monte Pion. Se ha estimado que tenía capacidad para acomodar a 24.500 personas sentadas.

Un hombre llamado Alejandro apareció delante de la multitud e intentó en vano calmarlos y explicarles lo que pasaba.

La diosa griega Diana

Esta deidad griega era considerada la diosa de la luna. Según la mitología griega era hija de Júpiter y Leto; este culto idolátrico fue el que Pablo amenazó al predicar el evangelio de Jesucristo. Diana era la diosa que velaba por los humanos y por los animales, y se consideraba la gran imagen maternal que traía la fertilidad a la raza humana. En la nación griega la representaban en estatuas como una virgen joven y atractiva, con el cabello recogido en la nuca y vestida con una corta túnica. En Efeso y en Asia Menor la representaban como una mujer madura, con la túnica arreglada en forma tal que dejaba expuesto el busto, el cual a su vez estaba cubierto con multitud de senos que simbolizaban su don de fertilidad y la capacidad para amamantar.

Pacificación de la multitud por el escribano de la ciudad (vv. 35-41)

Alejandro no logró que la multitud se apaciguara, pero sí lo consiguió el escribano sin dificultad.

El expuso los dos caminos legales que Demetrio y sus amigos podían tomar, si es que querían presentar alguna queja contra los cristianos. Un camino era llevar su denuncia ante el tribunal de la provincia, en el que actuaba el procónsul en determinados días. El otro camino era presentar su queja ante una asamblea regular de la ciudad.

El escribano concluyó el argumento al decir a los efesios que estaban corriendo el riesgo de ser acusados de insurrección, pues en realidad no tenían una base legal para ese comportamiento desordenado. El escribano controló la situación y dio por terminada la reunión y la multitud se disolvió.

El escribano era el funcionario jefe en los asuntos administrativos de la ciudad. El presidía, tanto el concilio de los magistrados de la ciudad, como las asambleas públicas. Además, era el funcionario de enlace entre la ciudad y la autoridad romana local. La principal preocupación del escribano era que este disturbio pudiera causar una impresión adversa entre los representantes romanos.

■ *Este acontecimiento indica que los cristianos*
■ *no eran vistos como una amenaza para el*
■ *estado, y que debían ser tratados con tole-*
■ *rancia en una sociedad con pluralidad de*
■ *cultos. Cuando cesó el conflicto, Pablo se fue*
■ *para Macedonia.*

PREGUNTAS PARA GUIAR SU ESTUDIO

1. ¿Qué les faltaba a los discípulos de Juan el Bautista? ¿Cómo suplió Pablo esa carencia?

2. ¿Qué lección podemos aprender del relato de los hijos de Esceva?

3. ¿Cómo escapó Pablo del motín promovido por Demetrio? ¿Qué evidencias vemos allí que demuestren que Dios estaba al control de los eventos de la vida de Pablo?

TERCER VIAJE MISIONERO DE PABLO

Tomado de John B. Pohill, *Hechos*, vol. 26, New American Commentary [Nuevo Comentario Americano] (Nashville, Tennessee: Broadman & Holman Publishers, 1992) pág. 60.

MINISTERIO FINAL DE PABLO EN MACEDONIA Y GRECIA (20:1-6)

Una visita fructífera a Grecia (vv. 1-3a)

Después de haber estado viajando por Grecia (Acaya) durante unos meses, Pablo se quedó en Corinto para pasar los meses de invierno. Muchos eruditos piensan que fue en esos días fríos del invierno de los años 56-57 d. J.C., cuando Pablo escribió su gran epístola a los Romanos con el fin preparar su visita pastoral a los cristianos de la capital del Imperio Romano.

A medida que afirmaba la iglesia o iglesias de Corinto y seguía escribiendo, Pablo también se dedicó a coordinar la recogida de la ofrenda que quería llevar a Jerusalén para aliviar el sufrimiento de los cristianos allá.

Pablo elude un complot (vv. 3b–4)

Cuando ya estaba listo para abordar lo que parecía un barco lleno de peregrinos judíos que iban a Jerusalén, Pablo y sus amigos descubrieron un complot contra la vida del apóstol. Parece ser que planeaban martarlo una vez que el barco zarpara. Aunque ya tenía experiencia en esas asechanzas contra su vida, no era para descuidarse. Pablo decidió cambiar sus planes y viajar por tierra a Macedonia y allí embarcar para Jerusalén.

El encuentro en Troas (vv. 5-6)

Sus compañeros de viaje se adelantaron para esperarlo en Troas. Pablo, a quien evidentemente ya se le había juntado Lucas, se quedó en Filipos hasta pasar la Pascua, y luego embarcó para el encuentro en Troas.

En este momento Pablo tenía la fortuna de contar entre sus compañeros con gente que venía de varias ciudades donde había ministrado: Sópater de Berea, Aristarco y Segundo de Tesalónica, Gayo de Derbe, Timoteo de Listra, Tíquico y Trófimo de Asia.

Después del tiempo de Pascua, Pablo y Lucas zarparon para Troas, donde estuvieron siete días ocupados en los preparativos finales del viaje a Jerusalén, que el resuelto apóstol se sentía compelido a realizar.

■ *Pablo dejó Efeso para hacer un recorrido*
■ *final por Grecia, regresar a Asia Menor y, al*
■ *fin, dirigirse a Jerusalén. Después de eludir*
■ *un complot contra su vida, Pablo alcanzó a*
■ *sus compañeros de viaje en Troas.*

RESTAURACION DE EUTICO (20:7-12)

En su último día en Troas (un domingo), Pablo se reunió con los cristianos para adorar. Esta es una de las primeras referencias en cuanto a cristianos reuniéndose los domingos para adorar.

Como se iba a la mañana siguiente, Pablo pasó todo el tiempo que pudo con los hermanos en Troas, y siguió hablando hasta entrada la noche. Eutico, un joven creyente, quizá un esclavo, escuchaba sentado en una ventana del aposento alto en el que se habían reunido para escuchar a Pablo.

Es posible que Eutico se acercara a la ventana para tomar un poco de aire fresco y combatir la somnolencia. Lo cierto es que se quedó dormido y cayó al suelo desde el tercer piso.

La gente salió presurosa y se encontró con lo que parecía el cuerpo muerto del joven. Pablo entonces se echó sobre él, y abrazándole dijo: "No os alarméis, pues está vivo." Para sorpresa de todos, el muchacho se recuperó.

■ Mientras Pablo predicaba en las primeras
■ horas de la madrugada, Eutico, un joven cre-
■ yente, se sentó en una de las ventanas del
■ aposento alto donde estaban reunidos. Se
■ quedó dormido y cayó al suelo desde el tercer
■ piso. Pablo le restableció la salud.

EL VIAJE A MILETO (20:13-16)

En Asón Pablo abordó el navío de cabotaje que
bordeaba la irregular línea de la costa, y que iba
tocando en los lugares importantes de la ruta.
Como Pablo quería llegar a Jerusalén antes de
Pentecostés, decidió no seguir hasta Efeso.
Cuando el barco tocó en Mileto, a unos 48 kilómetros de Efeso, pidió a los líderes de la comunidad cristiana que se trasladaran a Mileto.

DESPEDIDA DE PABLO ANTE LOS
ANCIANOS EFESIOS (20:17-35)

Pablo comenzó el discurso recordándoles cuál
había sido su conducta, el estilo de su ministerio
y devoción mientras había estado entre ellos.

Pablo pudo decir con honestidad que no esti-
maba más su vida que el llamado que había recibido de Dios. Lo que importaba era hacer la
voluntad de Dios y responder a su llamado hasta
terminar la carrera y hacer todo lo que el Padre
celestial le había encomendado que hiciera. En
resumen, Pablo dijo: "He hecho por ustedes
todo lo que he podido; de aquí en adelante todo
queda por cuenta de ustedes."

En este pasaje hay un reto velado. Pablo pudo
decir con toda honradez: "No he dudado en
proclamarles toda la voluntad de Dios." Los
maestros cristianos deben presentar la Palabra

Este es un pasaje
poco común (vv.
18-35), pues es el
único que se refiere a
Pablo predicando a
los cristianos. Todos
sus otros sermones
conocidos fueron
dirigidos a los judíos o
a los gentiles. Este
sermón contiene
tanto una exhortación
a la fe, como una
defensa (apología) de
la fe. El mensaje es
muy parecido a
algunas de las cartas
de Pablo. Es posible
que Lucas haya
escuchado este
sermón y quedara
impresionado con él,
y años después lo
reconstruyó cuando
estaba compilando el
material de Hechos.

de Dios en su totalidad, lo positivo y lo negativo, lo que alivia y lo que corrige.

El versículo 32 es una bella bendición. Pablo encomendó a sus amigos efesios a Dios y a la palabra de su gracia, "que tiene poder para sobreedificaros y daros herencia con todos los santificados".

■ *Pablo informó a la iglesia acerca de su acti-*
■ *vidad misionera. El discurso de despedida en*
■ *Mileto es su tercero y último recogido en*
■ *Hechos en el curso de su trabajo misionero.*

Sermones misioneros de Pablo en Hechos

LUGAR	MISION	PASAJE	AUDIENCIA
Antioquía de Pisidia (sinagoga)	Primer viaje	13:16-41	Judíos
Atenas, Grecia (El Areópago)	Segundo viaje	17:22-31	Gentiles
Mileto	Tercer viaje	20:17-35	Cristianos

EL DOLOR DE LA PARTIDA (20:36-38)

A pesar de la valentía con que Pablo hablaba de su viaje a Jerusalén, cuando llegó el momento de la partida, Pablo y los ancianos quedaron sobrecogidos por la tristeza. Estos hombres llenos de años se arrodillaron en la playa, unieron sus manos, oraron al Padre celestial y lloraron. Entristecidos, pero animados profundamente por sus palabras y ejemplo, estos denodados líderes efesios escoltaron a Pablo hasta el barco. Otra vez se abrazaron y lloraron, lo subieron al barco, y miraron cómo partía.

■ *Esta sección concluye el ministerio de Pablo*
■ *entre los efesios con su despedida de los líde-*
■ *res. De aquí en adelante, su meta era Roma.*

PREGUNTAS PARA A GUIAR SU ESTUDIO

1. ¿Qué significó la resurrección de Eutico para los cristianos que presenciaron este acontecimiento?

2. Al comienzo de su despedida de los ancianos de Efeso, Pablo ofrece un modelo de ministerio. ¿Cuáles son los elementos de este modelo, y cómo podemos aplicarlos a nuestra iglesia hoy en día?

3. ¿Cuáles son los puntos clave de la enseñanza de Pablo a los ancianos de Efeso?

VIAJE A JERUSALEN (21:1-16)

Después de la despedida en Mileto, Pablo continuó su último viaje a Jerusalén.

La advertencia en Tiro (vv. 1-6)

En Tiro, Pablo y sus compañeros de viaje buscaron a la comunidad cristiana. Lo más probable es que esta comunidad haya sido establecida por la misión de helenistas a Fenicia que se menciona en Hechos 11:19. Durante su visita, los cristianos de Tiro le "decían a Pablo por el Espíritu, que no subiese a Jerusalén".

La advertencia de Agabo (vv. 7-14)

Agabo

Era profeta en Jerusalén, y había visitado la iglesia de Antioquía, donde profetizó una hambruna universal. Esta profecía se cumplió diez años más tarde, durante el reinado de Claudio César.

La próxima parada fue en Tolemaida, unos cuarenta kilómetros al sur de Tiro, el más meriodinal de los puertos fenicios.

En este punto del relato de Lucas, vuelve a aparecer el profeta Agabo (ver 11:27-30). En un acto simbólico muy parecido a las escenificaciones de los profetas del Antiguo Testamento, Agabo predijo el arresto de Pablo en Jerusalén. Tomó el cinto de Pablo, y le ató las manos y los pies. Luego dio la interpretación de su acción. La profecía era que así sería atado Pablo por los judíos de Jerusalén y entregado a los gentiles.

La llegada de Pablo a Jerusalén (vv. 15-16)

La jornada de Pablo estaba casi por completarse. Sólo quedaban los ciento dos kilómetros desde Cesarea hasta Jerusalén. Los cristianos de Cesarea habían hecho arreglos para su alojamiento en la casa de un hombre llamado Mnasón. La comunidad cristiana de Jerusalén recibió con alegría a Pablo y sus colegas.

Ya en ruta a Jerusalén, Pablo fue advertido de las prisiones y los maltratos que le aguardaban en esa ciudad.

EL PLAN DE LOS ANCIANOS DE JERUSALEN (21:17-26)

Después de saludar a los respetables ancianos de la iglesia, Pablo comenzó a informarlos sobre todo lo que Dios había hecho entre los gentiles a través de su ministerio. Pablo no estaba obligado a darles este informe, pero por respeto a su posición y por la importancia de la iglesia de Jerusalén, él estaba dispuesto a contarles sus experiencias como misionero a los gentiles.

Tanto éxito se convirtió en problema. Es cierto que los ancianos tuvieron un genuino regocijo, pero de inmediato pasaron a advertirle que su éxito había provocado cierta animosidad entre los judíos de Jerusalén. Además, habían circulado mentiras acerca de su trabajo y sus enseñanzas a los gentiles con respecto a la circuncisión, leyes dietéticas y el abandono de las antiguas tradiciones judías.

Para invalidar las mentiras propaladas y demostrar a los judíos ortodoxos el celo de Pablo por el judaísmo, los ancianos de la iglesia idearon un plan. Pablo acompañaría al templo a cuatro judíos que debían pagar un voto de purificación y rededicación. El seguiría el mismo ritual de restauración y pagaría los gastos de todos. Este proceso tomaría siete días y los ancianos esperaban que el resentimiento de los ortodoxos contra Pablo disminuiría después de todo eso.

Pablo estuvo de acuerdo con el plan. Aunque no sentía ninguna necesidad interior de cumplir con los rituales del templo, pensaba que si con ello favorecía la paz en Jerusalén tendría mejores oportunidades para predicar a sus hermanos

"La purificación de Pablo"

Se acostumbraba a que los judíos que regresaban a Jerusalén procedentes de territorios gentiles, se sometieran a un ritual de purificación que duraba siete días. Con esto se demostraba una lealtad total a la Tora.

Pablo se sometió a esta purificación y cargó con el gasto que todo eso implicaba. Después de todo, él no veía ninguna contradicción entre la defensa que el hacía de que Jesús era el Mesías y su lealtad a la Torah.

judíos. Decidió, pues, someterse al ritual para favorecer la reconciliación.

■ *El éxito del trabajo misionero de Pablo había*
■ *provocado animosidad entre los judíos orto-*
■ *doxos en Jerusalén. Con el fin de lograr la*
■ *reconciliación y demostrarles su apego al*
■ *judaísmo, Pablo aceptó el plan que le propu-*
■ *sieron los ancianos.*

EL MOTIN Y EL ARRESTO DE PABLO EN EL AREA DEL TEMPLO (21:27-36)

En el último día del plan acordado, llegaron judíos procedentes del Asia Menor gritando que Pablo había metido a un gentil en el templo y profanado así el lugar. Esta falsa acusación se basaba en que habían visto a Pablo en Jerusalén con Trófimo, un creyente griego de Efeso. El resultado fue que la multitud se enardeció, agarraron a Pablo, lo arrastraron fuera del templo y comenzaron a golpearle. El aviso del motín llegó al comandante de las fuerzas romanas en Jerusalén, quien se presentó en el lugar con soldados. Esto hizo que la multitud dejara de golpear a Pablo, el cual fue encadenado por los soldados e internado en la fortaleza para librarlo de la furia de la multitud.

La Torre Antonia

Los soldados romanos estaban acuartelados en la Torre Antonia, que era una fortaleza ubicada en el ángulo noroeste del muro que rodeaba las edificaciones del templo de Jerusalén.

■ *Unos judíos del Asia Menor acusaron falsa-*
■ *mente a Pablo de haber metido un gentil en el*
■ *templo y se apoyaron en eso para enardecer*
■ *a la multitud.*

SOLICITUD DE PABLO PARA DIRIGIRSE AL PUEBLO (21:37-40)

Mientras los soldados se llevaban a Pablo apresuradamente, éste se dirigió al tribuno en lengua griega y le pidió que lo dejara dirigirse a la multitud. El militar se sorprendió al oírlo hablar en griego y le preguntó: "¿No eres tú aquel egipcio que levantó una sedició antes de estos días, y sacó al desierto a los cuatro mil sicarios?" A lo que Pablo contestó: "Yo de cierto soy un hombre judío de Tarso.... te ruego que me permitas hablar al pueblo." Cuando se lo permitió, Pablo hizo señal con la mano al pueblo, el cual guardó silencio y se dispuso a oírle.

PREGUNTAS PARA GUIAR SU ESTUDIO

1. ¿Qué significaba la advertencia de Agabo?
2. ¿Qué plan propusieron los cristianos de Jerusalén para reconciliar a Pablo con los judíos ortodoxos? ¿Por qué pensaban que pudiera funcionar?
3. ¿De qué fue acusado Pablo falsamente? ¿Por qué acabó este incidente con el plan de los ancianos?

DISCURSO DE PABLO ANTE LA MULTITUD DEL TEMPLO (22:1-21)

Cuando Pablo habló en hebreo, la multitud guardó aun más silencio para oír lo que iba a decir. El comenzó su discurso identificándose plenamente con los judíos. Aunque no había nacido en Judá, sí era un judío de pleno derecho, educado estrictamente conforme a la ley por el reconocido Gamaliel. Había atacado vigorosamente al nuevo movimiento cristiano cuando parecía una amenaza contra la religión antigua. De manera muy hábil les relató de nuevo la experiencia de su conversión en el camino de Damasco. Después les habló del mandato que había recibido del Señor para ir a los gentiles. Cuando mencionó a los gentiles, la turba comenzó a tirar sus ropas, lanzar polvo al aire y pedir a gritos la muerte de Pablo.

■ *Pablo comenzó su defensa identificándose*
■ *con la multitud. Habló de cuando era un per-*
■ *seguidor, y luego de su conversión y del man-*
■ *dato que había recibido de llevar el evangelio*
■ *a los gentiles. Antes de que pudiera terminar,*
■ *fue interrumpido por la turba judía.*

EL INTENTO DEL TRIBUNO DE INTERROGAR A PABLO (22:22-29)

Después del discurso de Pablo, el relato revela un gran dramatismo y está llena de suspenso. Al principio parecía que la turba iba a destrozar a Pablo, pero una vez más fue rescatado por el tribuno Lisias y llevado ileso a la fortaleza. Pero el tribuno "ordenó que fuese examinado con azo-

Claudio Lisias

Claudio Lisias era el tribuno o capitán del ejército romano que protegió a Pablo de los judíos que quisieron asesinarlo. Al ayudarlo a escapar de esa gran amenaza de la turba, Pablo pudo comparecer ante Félix, el gobernador.

tes, para saber por qué causa clamaban así contra él". Era así como el tribuno había decidido sacarle una confesión a Pablo, pero esta vez se salvó al apelar a su ciudadanía romana.

Vino el tribuno y le dijo: "Dime, ¿eres tú ciudadano romano?"

El dijo: "Sí."

Ante esta respuesta, los que intentaban interrogarlo violentamente lo dejaron de inmediato. El mismo tribuno se alarmó cuando pensó que había puesto a Pablo, un ciudadano romano, en cadenas. También abandonó la idea de interrogarlo a latigazos, y decidió involucrar a las autoridades judías para que lo ayudaran a resolver el problema.

- Cuando preparaban a Pablo para ozotarbe e
- interrogarlo, él apeló a su ciudadanía
- romana. Sus interrogadores no podían dañar
- a un ciudadano romano, pues la ley lo prohi-
- bía. En vista de ello, el tribuno decidió invo-
- lucrar a las autoridades judías para arreglar
- la situación.

PREGUNTAS PARA GUIAR SU ESTUDIO

1. ¿Cuál fue el mensaje de Pablo a la multitud del templo? ¿Qué fue lo que los exasperó?

2. ¿Cómo pudo Pablo librarse de la flagelación al apelar a su ciudadanía romana?

3. Lisias, el tribuno romano, salvó de nuevo a Pablo de la turba enfurecida. ¿Qué impacto, puede haber tenido Pablo en la vida de este soldado romano?

La ciudadanía romana.

Los derechos inherentes a la ciudadanía romana estaban establecidos en la Ley Valeriana, desde la fundación de la República en el año 509 a.J.C., pero estos derechos cambiaron con los sucesivos gobiernos. En los tiempos del Nuevo Testamento, la definición de los derechos de la ciudadanía romana se establecieron en la Ley Juliana, aprobada en año 23 a.J. C.

La ciudadanía romana podía obtenerse de diversas maneras: Por ser hijo de padres romanos, aún de la mujer, sin que importara cuál fuera la ciudadanía del padre; por haberse jubilado del ejército romano; por haber sido liberado de la esclavitud por un amo romano; por haber comprado la libertad de la esclavitud; por haber recibido la ciudadanía de un general o emperador romano; por compra de la ciudadanía. Pablo era romano por nacimiento, pero no sabemos cómo obtuvo su familia la ciudadanía.

Ananías, el sumo sacerdote

Ananías era el sumo sacerdote del concilio conocido como el Sanedrín. Este fue el tribunal que juzgó a Pablo según Hechos 23. Como era común de los sumos sacerdotes que pertenecían al grupo aristocrático judío de los saduceos, estaba interesado en el entendimiento político con las autoridades romanas. Esta motivación puede haber favorecido la disposición de Ananías para interesarse en el caso de Pablo, especialmente porque las autoridades romanas sospechaban que Pablo era un sedicioso en contra Roma.

Debido a la inclinación de Ananías a favor de Roma, fue asesinado por los judíos revolucionarios que se alzaron contra Roma al comienzo de la gran rebelión que se desató en el año 66 d.J.C.

PABLO ANTE EL SANEDRIN (22:30–23:11)

Decidido a saber por qué los judíos atacaban a uno de los suyos, que era también un ciudadano romano, el tribuno logró que el Sanedrín se dispusiera a escuchar a Pablo. Obviamente, la estrategia de los romanos para dominar su extenso imperio, incluía el permitir que cada país resolviera sus propios asuntos. Sólo en emergencias intervenían los romanos con la última palabra. El tribuno Lisias hubiera quedado satisfecho con que los judíos hubieran arreglado el problema con Pablo, siempre y cuando no se violaran los derechos de un ciudadano romano.

El Sanedrín era un honorable concilio integrado por judíos influyentes, pero eso no intimidó a Pablo. Como es de suponer, debía Conocer a muchos de ellos desde los días en que había estudiado con Gamaliel y perseguía a los cristianos. Por esa razón, no tuvo limitación para dirigirse a ellos como "hermanos". Pero esta familiaridad de parte del acusado, unida a su actitud de seguridad, posiblemente enfureció al sumo sacerdote Ananías, quien ordenó que Pablo fuese golpeado en la boca por blasfemo.

Es comprensible la respuesta de Pablo: "Dios te golpeará a ti, pared blanqueada."

Cuando fue reprendido por haber ofendido al sumo sacerdote, Pablo dijo: "No sabía, hermanos, que era el sumo sacerdote." Es posible que Pablo haya pronunciado estas palabras en tono irónico y la interpretación de ellas fuera: "El no actuó como un sumo sacerdote; ¿cómo podía reconocerle como tal, si su conducta no correspondía a su dignidad?"

En el versículo 6 los acontecimientos cambian radicalmente. Pablo se dio cuenta de que unos eran saduceos y otros fariseos, y entonces se unió con los fariseos. De inmediato aseveró que la verdadera motivación del juicio a que intentaban someterlo era porque él tenía la esperanza de la resurrección de los muertos. Al momento se dividió la asamblea y comenzaron a vociferar. La disputa se tornó tan violenta, que el tribuno temió por la vida de Pablo y ordenó a sus subordinados que se lo llevaran.

Por noche Pablo estaba exhausto y cayó en un sueño intranquilo. En ese momento recibió visión divina que le confortó, y le dijo: "Como has testificado de mí en Jerusalén, así es necesario que testifiques también en Roma." Pablo entendió que el Señor daba su aprobación a la visita que había hecho a Jerusalén.

Muchas de las dificultades de Pablo en los dos últimos años se originaron por haber dado testimonio de Cristo ante los judíos. De aquí en adelante, su viaje a Roma y todas las disputas legales que tuvo que superar hasta llegar allá, se convertirían en grandes testimonios.

■ *Durante el desarrollo del juicio de Pablo ante*
■ *el Sanedrín, los integrantes entraron en una*
■ *agria disputa acerca de la resurrección. Esto*
■ *era lo que separaba a Pablo del resto de los*
■ *judíos, y era el verdadero motivo que impul-*
■ *saba el juicio contra él. En sus posteriores*
■ *discursos en su defensa, Pablo insistió en este*
■ *hecho de manera constante.*

EL COMPLOT PARA EMBOSCAR A PABLO (23:12-22)

Pablo pudo descansar poco. Más de cuarenta judíos fanáticos, de los llamados zelotes, se juramentaron diciendo que no comerían ni beberían hasta dar muerte a Pablo. Estos "vengadores" conocían las debilidades de sus líderes religiosos, y de inmediato procuraron que cooperasen en el complot. Les pidieron que lograsen que el tribuno llevara de nuevo a Pablo ante el Sanedrín para resolver el asunto de una vez. Lo que planeaban era emboscar a Pablo y la guardia antes de llegar ante el Sanedrín.

Pero Dios estaba en control de la situación (vv. 16-22). Corriendo un gran riesgo, un sobrino de Pablo que supo acerca de la conspiración informó a Pablo y también al tribuno de los planes que estaban tramando contra la vida de Pablo.

El procurador Félix,

Antonio Felix era el procurador de Judea cuando el apóstol Pablo visitó Jerusalén por última vez y fue arrestado allá. Mantuvo su mandato hasta el año 60 d.J.C., cuando el emperador Nerón lo llamó, pues había sido acusado de ser un mal administrador.

Félix es representado como alguien que escuchó con interés la defensa de Pablo, pero que no tuvo la capacidad para tomar una decisión respecto al caso, ni a las implicaciones del mensaje de Pablo. Lo que en realidad buscaba era que Pablo le pagara algún soborno. Los historiadores contemporáneos retratan a Félix como un político brutal e incompetente que tuvo que ser reemplazado.

■ *El sobrino de Pablo descubrió el complot de*
■ *los zelotes judíos para matar a Pablo. En este*
■ *plan estaban comprometidos más de cua-*
■ *renta hombres, y los del Sanedrín. El tribuno*
■ *Lisias fue informado del plan.*

ENVIAN A PABLO A CESAREA (23:23-35)

Dispuesto a no permitir que un ciudadano romano, que era su prisionero, cayera en manos de estos asesinos, el tribuno llamó de inmediato a dos de sus centuriones y les ordenó que preparasen una fuerte escolta para proteger la salida de Pablo de la ciudad al amparo de la noche. Cerca de las nueve de la noche despacharon a Pablo, fuertemente escoltado, camino a la ciudad costera de Cesarea.

Debido al rango que le daba a Pablo su ciudadanía romana, y al hecho de ser un reputado líder religioso, el gobernador Félix lo alojó cómodamente en palacio y le prometió que su caso se ventilaría sin demora, tan pronto fuera posible.

- *El tribuno Lisias hizo que Pablo saliera de*
- *Jerusalén al amparo de la oscuridad y prote-*
- *gido por una fuerte escolta. Lo llevaron a*
- *Cesarea ante la presencia del gobernador*
- *Félix, para que allí fuera juzgado.*

PREGUNTAS PARA GUIAR SU ESTUDIO

1. ¿Cuál fue la significación que tuvo el que Pablo llamara "pared blanqueada" al sumo sacerdote Ananías?

2. ¿Cómo muestra el relato de la conspiración que Dios estaba al control de los sucesos en la vida del apóstol? En lo que hemos visto en Hechos, ¿cuántas veces usó Dios a los funcionarios romanos para rescatar a Pablo?

3. ¿Qué clase de administrador era el gobernador romano Félix? ¿Cómo manejó el caso de Pablo?

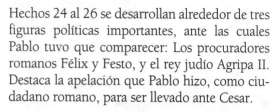

HECHOS 24

Hechos 24 al 26 se desarrollan alrededor de tres figuras políticas importantes, ante las cuales Pablo tuvo que comparecer: Los procuradores romanos Félix y Festo, y el rey judío Agripa II. Destaca la apelación que Pablo hizo, como ciudadano romano, para ser llevado ante Cesar.

EL JUICIO EN CESAREA (24:1-23)

Las acusaciones (vv. 1-9)

Tres cargos contra Pablo

1. Pablo era una plaga en el imperio y promovía sediciones por donde pasaba.
2. Era el cabecilla de la peligrosa secta de los nazarenos.
3. Era un profanador del templo de Jerusalén.

Cinco días después llegaron a Cesarea el sumo sacerdote y otros del Sanedrín, acompañados de un abogado llamado Tértulo, "y comparecieron ante el gobernador contra Pablo". Tértulo comenzó adulando a Félix y luego presentó tres cargos contra Pablo.

Todos los miembros presentes del Sanedrín confirmaron las acusaciones

La defensa de Pablo (vv. 10-21)

Pablo tuvo después oportunidad de rebatir los cargos que le hacían. El insistió en que no había profanado el templo. Estaba llevando a cabo el proceso de purificación, cuando le acusaron falsamente de contaminar al templo. Su conducta en Jerusalén había sido un ejemplo de genuina piedad judía.

Pablo nunca negó que estaba comprometido en la obra de Cristo. Por el contrario, al hablar dio un testimonio vehemente del Camino que había nacido en el seno de la religión judía y ahora se extendía por todas partes. Insistió en que no había repudiado su compromiso el Dios de sus padres cuando aceptó la causa de Cristo.

La indecisión de Félix (vv. 22, 23)

Félix se dio cuerta que Pablo no había hecho nada reprobable, y mucho menos algo que mereciera ser castigado bajo la ley romana. Pero también sabía que si absolvía de una vez a Pablo, los líderes judíos podrían incitar a un motín y Pablo podría ser asesinado en el proceso. Con el pretexto de esperar para hablar con el tribuno Lisias, Félix pospuso la decisión y ordenó que Pablo continuase bajo arresto.

■ *El juicio de Pablo ante Félix terminó sin sen-*
■ *tencia. Le mantuvo preso a Pablo hasta que*
■ *terminó como gobernador.*

CONVERSACION PRIVADA ENTRE PABLO Y FELIX (24:24-27)

¿Por qué insistía Félix en tener conversaciones privadas con Pablo? Es evidente que Pablo los inquietó a medida que hablaba de justicia, dominio propio y el juicio venidero. Es cierto que Félix esperaba extorsionar a Pablo, pero debe haber habido algo en el mensaje de Pablo que atraía y a la vez ahuyentab a la pareja.

■ *Aunque Félix y su esposa se reunieron en pri-*
■ *vado con Pablo, ellos nunca aceptaron de*
■ *lleno el mensaje del evangelio.*

PREGUNTAS PARA GUIAR SU ESTUDIO

1. Cuáles fueron los tres cargos concretos que Tértulo hizo contra Pablo?

2. Después de haber oído las acusaciones contra Pablo, ¿cuál fue la decisión de Félix sobre el caso?

3. ¿Qué piensa sobre la insistencia de Félix y Drusila de conversar con Pablo?

Festo

Fue nombrado gobernador por Nerón y asumió sus funciones en al año 60 d.J.C. Se mantuvo en ese cargo hasta su muerte en al año 62 d. J.C.

FESTO ES PRESIONADO POR LOS JUDIOS (25:1-5)

Como resultado de la incorformidad de los judíos, Félix fue llamado a Roma y reemplazado por Porcio Festo. Tan pronto como éste llegó a la ciudad, los dirigentes del Sanedrín comenzaron a presionarle para que ordenase que Pablo fuese traído a Jerusalén para ser juzgado.

Estos astutos dirigentes buscaban sorprender al recién nombrado gobernador.

Es posible que Félix hubiera informado a Festo sobre el caso de Pablo o Festo puede haberse negado desde el principio a actuar precipitadamente. En lugar de eso, invitó a un grupo representativo a que lo acompañara de regreso a Cesarea, donde juntos tendrían la oportunidad de confrontar a Pablo y él tomaría una decisión al respecto.

■ *Después de una criticable labor como procu-*
■ *rador, Félix fue destituido y en su lugar fue*
■ *nombrado Porcio Festo. Los líderes del Sane-*
■ *drín comenzaron a presionar a Festo para*
■ *que llevara a Pablo a Jerusalén para que*
■ *fuera juzgado. En vez de complacerlos, Festo*
■ *les invitó a ir con él a Cesarea.*

Esta apelación era un derecho de todo ciudadano romano, aunque de ninguna manera podía cada ciudadano que tuviera un problema con las autoridades locales conseguir el privilegio de ser enviado a Roma para ser juzgado.

PABLO APELA A CESAR (25:6-12)

Todo el caso tuvo que ser reabierto para informar al nuevo gobernador. Una vez más, el acusador por el Sanedrín presentó sus vacíos cargos contra Pablo sin ofrecer ninguna prueba para validarlos. De manera calmada, Pablo refutó cada uno de las acusaciones.

Entonces, el nuevo gobernador le dio a la situación un inesperado (y providencial) vuelco. En un intento por ganar el favor de los judíos, Festo preguntó a Pablo si estaría dispuesto a ir a Jerusalén para ser juzgado allá por el Sanedrín, delante del mismo Festo. Pablo sabía que no saldría vivo de Jerusalén.

La respuesta de Pablo fue: "A César apelo."

Con la apelación de Pablo, Festo quedó repentinamente sin saber qué hacer.

"Entonces Festo respondió: A César has apelado; a Cesar irás."

■ *A sabiendas de que recibiría un trato más*
■ *justo frente al emperador en Roma que ante*
■ *el Sanedrín en Jerusalén, Pablo hizo uso del*
■ *derecho que le daba su ciudadanía romana*
■ *de apelar a Cesar. Festo se alegró de poder*
■ *salir del espinoso problema que era el caso de*
■ *Pablo y de inmediato aceptó la apelación.*

LA CONVERSACION DE FESTO CON AGRIPA (25:13-22)

En los días de la apelación de Pablo, Festo recibió la visita del rey Agripa II y de su hermana Berenice. Es probable que fuera una visita oficial para establecer relaciones con el nuevo procurador. Festo pensó que siendo Agripa II rey de los judíos, nadie mejor que él para ayudarle en el caso de la apelación de Pablo.

Entonces Festo dijo a Agripa que los judíos no habían presentado ninguno de los "cargos que él esperaba". Probablemente esto significaba que los judíos no habían podido presentar ningún cargo de traición u otro crimen penado por la ley romana. Festo concluyó su relato informando a Agripa sobre la apelación de Pablo, y

Agripa II

Era hijo de Agripa I y hermano de Drusila y Berenice. Con la muerte de Agripa II terminó la dinastía de los Herodes, tanto de nombre como de hecho.

que le tenía retenido hasta que pudiera arreglar el enviarlo a César. Agripa le respondió que le gustaría oír a Pablo, lo cual Festo concedió.

■ *Festo pensó que el rey Agripa podría ayu-*
■ *darle en este asunto de la apelación de Pablo,*
■ *pues necesitaba elaborar un informe oficial*
■ *de los cargos en su contra para remitirlo*
■ *junto con el prisionero.*

"Fuera de razón"

La traducción literal de la palabra griega es "sin sentido." Los cargos contra Pablo no tenían ninguna base.

PABLO ANTE AGRIPA (25:23-27)

Festo tenía que encontrar algo definido y razonable para poner en el informe que iba a enviar al emperador junto con Pablo. Se sentía perdido y no encontraba qué poner, y decía: "Porque me parece fuera de razón enviar un preso, y no informar de los cargos que haya en su contra." Fue entonces cuando le pidió a Agripa que lo ayudara, puesto que el rey estaba más familiarizado con los asuntos judíos.

■ *La importancia del discurso que Pablo iba a*
■ *pronunciar se realza por la presencia osten-*
■ *tosa de los notables que se exhibían en la*
■ *sala. Debido a que Festo no veía que hubiera*
■ *cargos específicos contra Pablo, pidió la*
■ *ayuda del rey Agripa. La manera como*
■ *manejó el asunto demostró que Festo no era*
■ *ningún buen ejemplo de la justicia romana.*

PREGUNTAS PARA GUIAR SU ESTUDIO

1. ¿En qué forma intentó Festo, el nuevo gobernador, manejar el caso de Pablo?
2. ¿A qué conclusión llegaron Festo y Agripa como resultado de su conversación?
3. ¿Por qué pidió Festo a Agripa que lo ayudara en el caso?

El discurso de Pablo ante Agripa es la culminación de su defensa en los capítulos 21-26. En el se agrupan, como en un resumen, todos los temas de los cinco capítulos anteriores.

EL DISCURSO DE PABLO ANTE AGRIPA (26:1-23)

Este discurso de Pablo es muy parecido al que pronunció ante la multitud reunida en el templo. En ambas ocasiones dio testimonio de su experiencia personal en Cristo: Su nacimiento y educación y judía, la persecución de los cristianos, su propia conversión y la comisión que le dio el Señor resucitado.

Con gran ceremonia y ostentación se reunieron en la corte los caballeros y damas de la ciudad, con Festo, Agripa y Berenice, la hermana del rey. También asistieron algunos líderes judíos que querían oír la defensa de Pablo. Después de los prolegómenos hechos por Festo, Agripa autorizó a Pablo para que hablara.

Pablo relató de nuevo su experiencia de conversión en el camino de Damasco. Notemos que cada vez que él relata este episodio, o Lucas hace referencia a él, aparecen diversas facetas de la narración, aunque siempre se mantiene la consistencia del relato: Su determinación de acabar con los cristianos, la gran luz, la voz, el hecho de quedar ciego, y el cambio radical que esto tuvo en la vida de Pablo.

Pablo terminó diciendo que él había sido obediente a su visión de Cristo. Una vez más testificó que su vida había sido un testimonio para Cristo.

Pablo declaró su satisfacción por poder defenderse delante del rey Agripa, persona conocedora de la situación. Aunque siempre se inclinaba hacia los romanos, Agripa tenía una formación judía, lo que probablemente le había permitido tener algún conocimiento de las maniobras religiosas y políticas de este pueblo. Esta circunstancia le permitía escuchar la defensa de Pablo con cierto conocimiento de causa.

■ *Pablo comparece de nuevo ante un funciona-*
■ *rio romano, esta vez el rey Agripa. De nuevo*
■ *ratifica su inocencia en cuanto a que no ha*
■ *quebrantado ninguna ley romana. Cada uno*
■ *de los juicios a que fue sometido lo acercaba*
■ *un paso más a Roma, y en cada uno de esos*
■ *pasos Pablo dio testimonio de Jesús.*

PABLO INVITA A AGRIPA A CREER (26:24-29)

Lo dicho por Pablo sobre las Escrituras judías y las referencias sobre la resurrección resultaron demasiado para el procurador romano. Festo lo interrumpió: "Estás loco, Pablo; las muchas letras te vuelven loco." Aunque en ese momento Festo estaba demostrando un prejuicio popular que a menudo se tenía contra los intelectuales, al mismo tiempo dejaba ver un genuino respeto por la erudición de Pablo.

"En un rincón"

Lo que había sucedido no se había hecho en secreto, como en alguna oportunidad se había sugerido, sino que fue hecho a plena luz, con conocimiento de todos.

Pablo afirmó respetuosamente estar en plena posesión de sus facultades mentales. Entonces, dirigió un llamamiento al rey: "¿Crees, oh rey Agripa, a los profetas? Yo sé que crees." Pablo estaba diciendo: "Rey, tú sabes de lo que estoy hablando; estás al tanto. Estos hechos maravillosos no sucedieron en un rincón. El evangelio está haciendo explosión por todo el imperio, y especialmente aquí en tu reino." Ahora el rey era el que tenía que defenderse.

Entonces Agripa protestó alarmado: "¿Piensas que en tan corto tiempo me puedes persuadir para que me convierta en un cristiano?"

A manera de vehemente final de su testimonio, Pablo declaró: "Quisiera que por poco o por mucho, no solamente tú, sino también todos los que hoy me oyen, fueseis hechos tales cual yo soy, excepto estas cadenas." Como un seguidor de Cristo, Pablo se consideraba un hombre libre, a pesar de las cadenas que llevaba.

EL GOBERNADOR Y EL REY DECLARAN QUE PABLO ES INOCENTE (26:30-32)

Todo esto resultaba demasiado para Festo, Agripa y Berenice. Rápidamente abandonaron el salón en donde se juzgaba a Pablo. Ya en la seguridad de las cámaras del gobernador, el rey y Festo estuvieron de acuerdo en que no había ningún cargo que legítimamente se pudiera hacer contra Pablo. Si él no hubiera apelado a César se le podría haber dejado en libertad. Pero ante la oposición judía la pregunta que quedó en el suspenso de la historia, fue: ¿Se hubieran atrevido a liberar a Pablo?

■ *Después de haber hablado con Pablo, hasta*
■ *el rey Agripa declaró que era inocente. Pablo*
■ *compareció tres veces ante los funcionarios*
■ *romanos. En ninguna de esas oportunidades*
■ *hubo un veredicto oficial sobre su caso. Pablo*
■ *estaba a punto de ver complacido su deseo de*
■ *predicar el evangelio en Roma.*

PREGUNTAS PARA GUIAR SU ESTUDIO

1. ¿Qué enfatizó Pablo en el discurso de su defensa?

2. Describa el llamamiento que hizo Pablo al rey Agripa. ¿Qué nos sugiere la respuesta de Agripa?

3. ¿Qué declararon el gobernador y el rey sobre la culpabilidad o inocencia de Pablo?

El viaje de Pablo a Roma

Notemos que el relato vuelve a usar el pronombre "nosotros" en esta sección de Hechos. Lucas, el autor de Hechos, acompañó a Pablo en este viaje a Roma, y estuvo a su lado hasta que fue entregado para ser custodiado por los soldados en Roma (28:16).

El relato de este viaje por mar contiene descripciones de las técnicas de navegación empleadas en el primer siglo. Debido a las peligrosas condiciones del tiempo, no era corriente la navegación por alta mar durante el tiempo de noviembre a marzo. El viaje de Pablo coincide con el inicio de este período peligroso, y el viaje a Roma fue interrumpido por el advenimiento de un viento huracanado conocido como Euroclidón. Un fuerte viento procedente del noroeste. La tormenta arrebató la nave y estuvo a la deriva durante dos semanas, hasta que se destrozó contra unos arrecifes de la isla de Malta.

La mayor parte de los dos capítulos finales de Hechos se dedican a la extensa narración del viaje marítimo que Pablo realizó desde Cesarea hasta Roma para comparecer ante César. El relato es muy parecido a antiguos relatos sobre el mar, y esto ha provocado una viva discusión entre los estudiosos. La ruta seguida, los puntos de referencia mencionados y el tiempo invertido, reciben un minucioso trato en la narración. Asimismo, hay un profuso uso de terminología marítima, y el relato es considerado por los especialistas como una valiosa fuente para el estudio de las técnicas antiguas de navegación.

La extensa narración de este viaje es una larga y coherente historia, y resultaría arbitrario el tratar de introducir divisiones. Sin embargo, su estructura parece vinculada con escenas de la vida de Pablo, y tiene interacción con él.

EL VIAJE DE PABLO A BUENOS PUERTOS (27:1-8)

Tan pronto como Festo aceptó la apelación de Pablo para comparecer ante César, se hicieron los arreglos necesarios para que éste y otros prisioneros fueran llevados a Roma bajo la vigilancia de Julio, un centurión de la compañía Augusta. Lucas acompañó a Pablo en este viaje a Roma. Zarparon de Cesarea los prisioneros, sus guardianes y otros pasajeros, a bordo de un barco de cabotaje que iría haciendo escala en las pequeños puertos durante el trayecto. La idea del centurión era comenzar con este pequeño barco hasta lograr el transbordo a uno mayor que pudiera atravesar el Mediterráneo.

Después de varias semanas de lento navegar encontraron el barco que buscaban, y el centurión y su grupo transbordaron a él, el cual seguramente era un barco que transportaba granos hacia Roma. La temporada de navegación segura estaba por terminar, pues ya había pasado el verano, y comenzado el otoño. En esta época comenzaban a soplar vientos que hacían lenta la navegación. En la bahía de Buenos Puertos, en Creta, Pablo estuvo presente en una reunión que tuvieron el dueño del barco y el centurión sobre las perspectivas que ofrecía el tardío viaje. Se discutía si convenía pasar allí el invierno o tratar de encontrar otra bahía más apropiada. Pablo, por la experiencia de muchos viajes, opinó que convenía quedarse donde estaban. El centurión y el capitán decidieron que era mejor buscar una bahía más segura. Pablo predijo que ese intento sería peligroso, tanto para el barco como para todo el pasaje, pero no fue oído.

- *Pablo y otros prisioneros debían ser llevados*
- *a Roma bajo la custodia del centurión Julio,*
- *de la compañía Augusta. En Buenos Puertos,*
- *en la isla de Creta, el centurión y el capitán*
- *de la nave decidieron zarpar en busca de una*
- *bahía más segura, no prestando atención a la*
- *predicción de Pablo de que salir de allí en esa*
- *época pondría en peligro la nave y la vida de*
- *todos los que iban en ella.*

LA DECISION DE ZARPAR (27:9-12)

Una vez tomada la decisión de zarpar, Pablo y el grupo tuvieron que esperar vientos favorables. Con gran incertidumbre, la tripulación llevó la nave mar afuera. Durante un tiempo las cosas marcharon bien hasta que, de manera repentina, sobrevino un devastador viento del noroeste. Como no pudieron poner proa al

"Las cinchas"

Los barcos antiguos tenían, como parte de sus aparejos normales, las cinchas, las cuales eran sencillamente unas cuerdas que se pasaban alrededor del casco del navío. Esta operación ayudaba a prevenir que el barco hiciera agua cuando era sacudido por una tormenta.

viento, el capitán se vio forzado a dejar el barco a la deriva. Después de varios días lograron llegar a una bahía de la isla llamada Clauda, donde con gran dificultad lograron recoger el esquife y usaron unas cuerdas para cinchar el casco. De regreso a alta mar fueron vapuleados por los vientos de la tormenta que no amainaba. Entonces empezaron a alijar el barco y tiraron carga y aparejos por la borda, en un esfuerzo por estabilizar el barco. Después de días en la tormenta, la tripulación y los pasajeros comenzaron a perder toda esperanza de salvar sus vidas.

- *El barco encontró un viento del noroeste que*
- *hizo prácticamente imposible la navegación.*
- *A pesar de los esfuerzos de la tripulación el*
- *barco perdió tiempo, las condiciones empeo-*
- *raron y la navegación se hizo muy peligrosa.*
- *Los que iban a bordo comenzaron a temer*
- *por sus vidas.*

LAS PALABRAS DE CONFIANZA DE PABLO (27:21-26)

Durante todos esos días nadie había comido nada. ¿Quién hubiera podido estar pensando en comer cuando cada minuto había que luchar para salvar la vida? Entonces una mañana Pablo se paró en medio de ellos y dijo: "Habría sido por cierto conveniente, haberme oído, y no zarpar de Creta tan sólo para recibir este castigo y pérdida. Pero ahora os exhorto a tener buen ánimo, pues no habrá ninguna pérdida de vida entre nosotros, sino solamente de la nave."

LAS PERSPECTIVAS DE ENCONTRAR TIERRA (27:27-32)

En la decimo cuarta noche de este increíble viaje, los marineros presintieron que estaban cerca de la costa y echaron la sonda. Con alegría comprobaron que había sólo veinte brasas de profundidad, lo que significaba que estaban siendo arrastrados por la corriente hacia alguna isla desconocida. Para disminuir la velocidad, echaron unas anclas por la popa. Algunos marineros quisieron aprovechar para bajar el esquife y hacer como si fueran a echar otras anclas por la proa, cuando en realidad lo que intentaban hacer era abandonar la nave. "Pero Pablo dijo al centurión y a los soldados: Si estos no permanecen en la nave, vosotros no podréis salvaros." Los soldados cortaron las amarras del esquife y lo dejaron perderse." Se podía decir con toda propiedad que ahora sí que estaban todos en la misma barca.

"Las anclas se usaban a manera de frenos, y normalmente eran lanzadas por la proa. En este caso fueron lanzadas por la popa, lo cual se hacía ocasionalmente para evitar que el barco girase alrededor de ellas, según las circunstancias que prevalecían."

La nota anterior fue tomada de The IVP Bible Background Commentary {Comentario de apoyo a la Biblia, de IVP}, Downers Grove: InterVarsity Press, 1993, p.403.

PALABRAS DE PABLO PARA INFUNDIR MAS ANIMO (27:33-38)

En lo peor de la tormenta, cuando los espíritus estaban en su punto más bajo, Pablo había hablado palabras de aliento y confianza. Ahora, después del perverso intento de los marineros, con el barco severamente dañado por la tormenta, y sin ninguna seguridad de poder llegar a la costa, nuevamente Pablo se levantó para animar a los asustados viajeros.

Comenzaba a amanecer y con la luz del sol intentarían llegar a tierra. Pablo les pidió a todos que comieran algo, pues necesitaban fortalecerse y confiar en que ni siquiera un cabello de su cabeza se perdería. Entonces, dando el ejemplo, "tomó el pan y dio gracias a Dios" antes de comer

■ *Pablo confirmó de nuevo la confianza a la*
■ *tripulación y los pasajeros, que todos sobre-*
■ *vivirían a esa penosa experiencia en el mar.*

EL SALVAMENTO DE TODOS (27:39-44)

Se hicieron todos los preparativos para conducir el barco hasta la playa, pero los planes se frustrados cuando la nave encalló por la proa, y la popa se abrió debido a la violencia del oleaje. El barco comenzó a romperse.

Instintivamente los soldados desenvainaron sus espadas para matar a los prisioneros a fin de que no escaparan, pero el centurión lo impidió y permitió que llegaran a la costa como pudieran. Ya fuera nadando, o flotando sobre restos de la nave, todos llegaron a tierra, cumpliéndose así la profecía de Pablo.

■ *La presencia de Pablo no fue responsable, en*
■ *ningún sentido, de lo tormentoso del viaje. Si*
■ *hubieran seguido su consejo, en primer lugar*
■ *el barco nunca habría sido arrebatado por la*
■ *tormenta. Por el contrario, la presencia de*
■ *Pablo fue lo que permitió el que se salvaran*
■ *del desastre. El Dios de Pablo estaba con él y,*
■ *por esa razón, todos pudieron salvarse.*

PREGUNTAS PARA GUIAR SU ESTUDIO

1. Comente sobre los pasajes en que el autor de Hechos utiliza el pronombre "nosotros". ¿Cuál puede haber sido el objetivo que buscaba en esos pasajes?

2. ¿Qué enseñanza sacaron la tripulación y los pasajeros de esa experiencia de navegar con Pablo durante su viaje a Roma?

3. En medio de esa tormenta que duró tantos días, Pablo se mantuvo firme y con su ejemplo y sus palabras animó a los que estaban a con él. ¿Cómo podríamos aplicar esta actitud a las "tormentas" que confrontamos en nuestra propia vida?

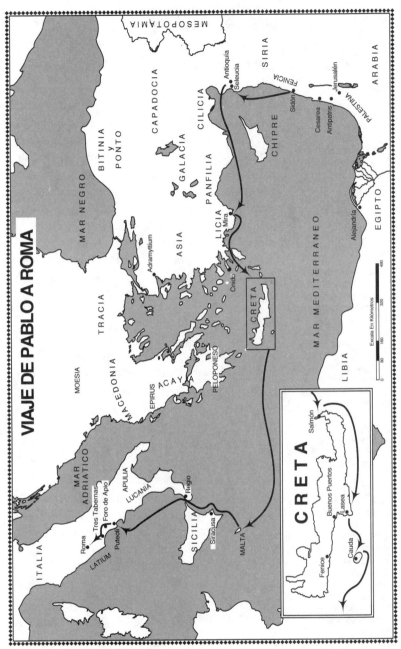

Tomado de John B. Pohill, *Hechos,* vol. 26, New American Commentary [Nuevo Comentario Americano] (Nashville, Tennessee: Broadman & Holman Publishers, 1992) pág. 61.

HECHOS 28

UN INVIERNO EN LA ISLA DE MALTA (28:1-10)

A la luz del amanecer los nativos de la isla miraron hacia el embravecido mar y se sorprendieron al ver al barco que se despedazaba y a la aterrada tripulación saltando por la borda, nadando, luchando por llegar a tierra. Cuando finalmente llegaron ateridos y empapados y se tiraron en la playa, encontraron una buena fogata que habían encendido los nativos, y la rodearon temblando de frío y de miedo. Habían llegado a la isla de Malta, ubicada al sur de la costa italiana. Lucas recuerda con gran aprecio la hospitalidad de sus habitantes.

Pablo se salva de la mordedura de la víbora (vv. 1-6)

Para mantener el fuego, y quizá también para activar la circulación de su sangre, Pablo caminó por la playa y recogió algunas maderas para echarlas al fuego. Junto con los trozos de madera debe haber recogido una serpiente, una víbora que al acercarla al fuego reaccionó y mordió la mano de Pablo. Esto horrorizó a los que estaban alrededor y quizá también al mismo Pablo. Los nativos pensaron que Pablo era un asesino y que la justicia divina lo estaba castigando. Para sorpresa de todos, la mordedura no tuvo ningún efecto sobre Pablo quien, sacudiendo la víbora en el fuego, siguió conversando sobre la situación en que se encontraban. El temor de los nativos acerca de Pablo se tornó en admiración y decían que era un "dios".

La hospitalidad de Publio (vv. 7-10)

El gobernador de la isla, un hombre llamado Publio, invitó a Pablo, al capitán de la nave, al centurión y a otros del grupo para que fueran a su casa. Allí los atendió durante tres días y, durante la visita, Pablo pudo curar al padre de Publio, quien sufría de disentería, y también curó a muchos otros en la isla. Después de tres meses, ya pasado el tiempo de invierno, el grupo continuó su viaje a Roma. Antes de partir, la gente de Malta, agradecida por las curaciones y sus oraciones, colmaron a Pablo, a Lucas y a los otros con regalos y recursos para el viaje.

■ *Después del naufragio en Malta, Pablo y su*
■ *grupo pasaron los siguientes tres meses con*
■ *los habitantes de la isla. Pablo pudo minis-*
■ *trarles y sanó al padre del gobernador de la*
■ *isla, y a otros también.*

¡POR FIN, ROMA! (28:11-16)

A comienzos de febrero el grupo embarcó en un navío que había pasado el invierno en Malta. Primero zarpó para el puerto de Siracusa, en la isla de Sicilia, y de ahí a Italia, para terminar la navegación en Puteoli en la bahía de Nápoles.

"Luego fuimos a Roma" (v. 14). ¡Qué expresión tan modesta! Pablo había querido durante años ir a Roma. Tres años antes les había dirigido su gran "Epístola a los Romanos". Había orado por poder ver a los cristianos romanos cara a cara. Ahora, después de años de prisión en Cesarea y de uno de los más espantosos viajes por mar de que se tenga memoria, por fin llegaba a Roma.

La noticia de su llegada ya era conocida. Podemos imaginar la alegría y gratitud cuando fue recibido en el camino por los grupos de cristianos de Roma. Algunos habían caminado hasta 65 kilómetros por la Vía Apia para recibir y saludar al

Puteoli

Debido a su comercio con Alejandría y el Cercano Oriente, Puteoli debe haber contado con una importante colonia judía que a su vez estaría relacionada con la de Roma. También había allí una comunidad de cristianos.

Por alguna razón, el centurión permitió a Pablo pasar siete días en Puteoli, quizá acompañado por un guardia. Durante estos días, él y los de su grupo, hicieron buena amistad con la comunidad cristiana y disfrutaron de momentos de compañerismo y se ayudaron a profundizar en la fe.

famoso visitante. Si el apóstol guardaba algunos temores, todos se disiparon al ser recibido con aquella hermandad. Con lágrimas en los ojos, Pablo y Lucas los abrazaron y saludaron. A pesar de que era un prisionero enviado a comparecer ante Cesar, con un futuro lleno de incertidumbres, Pablo estaba en las manos de Dios, y los creyentes estaban gozosos de concerlo y de tenerlo entre ellos. En Roma, Pablo fue puesto de nuevo bajo arresto domiciliario, con libertad para moverse dentro de su residencia, pero sin poder abandonarla. Algunos textos sugieren que estaba encadenado a un guardia, debido a que Pablo lo menciona en el versículo 20.

■ *Durante años Pablo había querido ir a Roma.*
■ *Ya les había escrito la gran "Epístola a los*
■ *Romanos" tres años antes. Había orado por*
■ *poder ver a los cristianos romanos cara a*
■ *cara. Por fin, después de años de prisión en*
■ *Cesarea y de uno de las peores travesías marí-*
■ *timas de que se tiene noticia, llegó a Roma.*

"Y ahora, por la esperanza de la promesa que hizo Dios a nuestros padres soy llamado a juicio; promesa cuyo cumplimiento esperan que han de alcanzar nuestras doce tribus, sirviendo constantemente a Dios de día y de noche." Hechos 26:6-7.

PABLO Y LOS JUDIOS ROMANOS (28:17-29)

Después de tres días de descanso y recuperación, Pablo llamó a los líderes de la comunidad judía en Roma para que vinieran a conversar con él en su residencia. Durante la visita les explicó las razones por las que estaba preso y, cuando todos los hechos fueron considerados, les declaró que el era un prisionero en Roma debido a la "esperanza de Israel". Su devoción a los antiguos sueños de Israel sobre un Mesías, y a las intenciones de Dios de formar una hermandad universal de creyentes, le había costado la libertad.

Los judíos le aseguraron que ellos no habían recibido comunicación desde Jerusalén acerca de él, lo cual debe haber aliviado a Pablo. Pero aun más importante fue el expreso deseo de oír más de Pablo acerca de la fe cristiana, la cual estaba ganando adeptos entre los gentiles, aunque todavía era terriblemente desprestigiada por los judíos. Todo lo que Pablo quería era una oportunidad para predicarles.

En el día señalado un gran grupo de judíos se reunió en la casa de Pablo. Desde temprano en la mañana hasta entrada la noche, les explicó el reino de Dios, y cómo se había manifestado en Jesucristo. De la manera como lo había hecho en Asia Menor, trató de convencerlos de que el cristianismo no era un competidor del judaísmo, sino su perfeccionador. La respuesta fue típica: unos creyeron y otros no. Pablo les dijo que no le sorprendía la respuesta mixta, porque el profeta Isaías, ya había predicho que muchos a los cuales había sido enviado el Mesías lo rechazarían. Sin embargo, ahí no terminaría todo, pues la salvación de Dios también había sido enviada a los gentiles, y ellos oirían.

UN EPILOGO SIN UNA CONCLUSION (28:30, 31)

Durante dos años Pablo vivió por su cuenta en una casa alquilada. Predicaba sin impedimentos y eran bienvenidos todos los que quisieran visitarlo. Hechos llega aquí a un abrupto final. Ansiamos tener una respuesta definitiva acerca de lo que sucedió después de esos dos años. ¿Fue ejecutado? ¿Fue liberado? ¿Pudo realizar el viaje a España con el que tanto había soñado? Nada sabemos. Sea cual haya sido el resultado final de la prisión de Pablo en Roma, lo cierto es que por alguna razón Lucas decidió terminar aquí la narración de esta manera abrupta.

"Y dijo: Anda, y dí a este pueblo: Oíd bien, y no entendáis; ved por cierto, mas no comprendáis. Engruesa el corazón de este pueblo, y agrava sus oídos, y ciega sus ojos, para que no vea con sus ojos, ni oiga con sus oídos, ni su corazón entienda, ni se convierta, y haya para él sanidad." Isaías 6:9, 10.

Hay algo de lo que sí estamos seguros: Pablo predicó las insondables riquezas de Jesucristo abiertamente y sin impedimento. Durante esos años escribió las famosas "epístolas desde la prisión", siempre preocupado por personas e iglesias que trataban de vivir por la fe en Cristo. El contenido del mensaje de Pablo conforma la conclusión del libro de Hechos. El predicó el "reino de Dios" y enseñó acerca del "Señor Jesucristo". Ambos temas se pertenecen: Las buenas nuevas del reino y las buenas nuevas acerca de Cristo.

El libro de Hechos termina como si hubiera una continuación, y ese ha sido siempre el espíritu de la iglesia y del evangelio. Gracias sean dadas a Dios, porque la historia no tiene fin, sino que continúa sin que sea "obstaculizada".

- *Durante dos años, y a sus propias expensas,*
- *Pablo vivió y predicó en Roma, recibiendo a*
- *todos los que quisieron ir a visitarlo. E libro de*
- *los Hechos llega luego a un final abrupto. No*
- *sabemos en qué terminó la prisión de Pablo en*
- *Roma, pero sí sabemos que predicó el mensaje*
- *de Jesucristo abiertamente y sin impedimen-*
- *tos, y que durante esos años en la cárcel escri-*
- *bió las famosas "epístolas de la prisión".*

PREGUNTAS PARA GUIAR SU ESTUDIO

1. ¿Qué logró Pablo durante los tres meses que pasó en la isla de Malta?

2. La gente de Malta fue muy hospitalaria con Pablo y su grupo. Compare la recepción de estos paganos con la recepción que recibió en la mayoría de las comunidades judías que visitó.

3. ¿Qué sabemos acerca del tiempo que Pablo pasó en Roma? ¿Qué piensa que puede haber pasado con él?

ARMONIZACION DE LOS VIAJES MISIONEROS DE PABLO CON LAS EPISTOLAS PAULINAS

FECHA	EPISTOLA	SUCESO
Año 29 d. J.C.	Hechos	Muerte y resurrección de Cristo.
Año 32 d. J.C.	Hechos	Conversión de Pablo, seguida de un período de tres años en Damasco y en Arabia. Escapa del complot para matarlo en Damasco.
Año 32 d. J.C.	Hechos	Bernabé presenta a Pablo ante la iglesia de Jerusalén.
Año 32 d. J.C.	Hechos	Pablo regresa a Tarso.
Año 32 d. J.C.	Hechos	Bernabé trae a Pablo a Antioquía de Siria. Ambos llevan ayuda para aliviar el hambre en Jerusalén.
Año 47 d. J.C.	Hechos	PRIMER VIAJE MISIONERO Antioquía de Siria. Chipe. Elimas es enceguecido y Sergius Paulus se convierte.
Año 47 d. J.C..	Hechos	Pérge. Juan Marcos los deja. Antioquía de Psidia. Pablo se dirige a los gentiles después de haber predicado en la sinagoga.
Año 47 d. J.C.	Hechos	Iconio. Lo echan de la ciudad después de predicar en la sinagoga.
Año 47 d. J.C.	Hechos	Listra. Después de haber curado a un cojo, la multitud trataba de alabarles como a dioses. Pablo fue apedreado.
Año 47 d. J.C.	Hechos	Derbe. Listra. Iconio. Antioquía de Pisidia. Pérgamo. Atalia. Antioquía de Siria

Armonizacion De Los Viajes Misioneros De Pablo Con Las Epistolas Paulinas

Fecha	Epistola	Suceso
Año 49 d. J.C.	Gálatas (según la Teoría Galacia Sur)	Concilio de Jerusalén (Hechos 15).
Años 50-52 d. J.C.	Gálatas (según la Teoría Galacia Sur)	**Segundo Viaje Misionero**
		Antioquía de Siria. Derbe. Listra. Pablo lleva a Timoteo (Hechos 16:1).
Año 50-52 d. J.C.	Gálatas (según la Teoría Galacia Sur)	Iconio. Antioquía de Pisidia. Troas. Pablo recibe la visión del varón macedonio. Filipos. Conversión de Lidia y liberación de la muchacha adivina poseída por el demonio.
Año 50-52 d. J.C.	Gálatas (según la Teoría Galacia Sur)	Pablo y Silas en la cárcel. Terremoto a medianoche. Conversión del carcelero.
Año 50-52 d. J.C.	Gálatas (según la Teoría Galacia Sur)	Tesalónica. Pablo es echado de la ciudad por una turba.
Año 50-52 d. J.C.	Gálatas (según la Teoría Galacia Sur)	Berea. Los judíos oyeron el mensaje de Pablo y buscaron en el Antiguo Testamento para verificarlo.
Año 50-52 d. J.C.	Gálatas (según la Teoría Galacia Sur)	Atenas. Pablo predica en la colina de Ares (Marte).
Año 50-52 d. J.C.	1 y 2 Tesalonicenses	Corinto. Pablo hace tiendas con Aquila y Priscila.
Año 50-52 d. J.C	1 y 2 Tesalonicenses	Conversión de Crispo, el principal de la sinagoga.
Año 50-52 d. J.C.	1 y 2 Tesalonicenses	Pablo permaneció año y medio en Corinto, después que el gobernador Galión rehusó condenar su predicación.

ARMONIZACION DE LOS VIAJES MISIONEROS DE PABLO CON LAS EPISTOLAS PAULINAS

FECHA	EPISTOLA	SUCESO
Año 50-52 d. J.C.	1 y 2 Tesalonicenses	Cencrea. Pablo hizo un voto de Nazareno y se afeitó la cabeza.
Año 50-52 d. J.C.	1 y 2 Tesalonicenses	Efeso. Aquí dejó a Aquila y Priscila.
Año 50-52 d. J.C.	1 y 2 Tesalonicenses	Cesarea. Jerusalén. Antioquía de Siria
Año 53-57 d. J.C.	1 y 2 Tesalonicenses	**TERCER VIAJE MISIONERO** Antioquía de Siria Galacia y Frigia. (Derbe, Listra, Iconio, Antioquía de Pisidia).
Año 53-57 d. J.C.	1 Corintios	Efeso. Predicación en la escuela de Tirannos. Los convertidos renuncian al ocultismo y queman los libros de magia. Demetrio dirige el motín de plateros a favor de la diosa Artemisa (Diana). Pablo ministró aquí durante tres años (20:31).
Año 53-57 d. J.C.	2 Corintios	Macedonia. (Filipos, Tesalónica).
Año 53-57 d. J.C	Romanos	Grecia (Atenas y Corinto) Los judíos planean complot para matar a Pablo en su viaje a Palestina.
Año 53-57 d. J.C.	Romanos	Macedonia. Troas. Eutico es vuelto a la vida después de caer de un tercer piso durante una predicación de Pablo.
Año 53-57 d. J.C.	Romanos	Mileto. Despedida de los ancianos de Efeso.
Año 53-57 d J..C.	Romanos	Tiro. Pablo es advertido que evite ir a Jerusalén.

Armonizacion De Los Viajes Misioneros De Pablo Con Las Epistolas Paulinas

Fecha	Epistola	Suceso
Año 53-57 d. J.C.	Romanos	Cesarea. Agabo profetiza a Pablo los sufrimientos que tendrá en Jerusalén.
Año 53-57 d. J.C.	Romanos	Jerusalén. Los judíos se amontinan contra Pablo en el templo. Es rescatado y arrestado por los soldados romanos. Se defiende ante el Sanedrín y es enviado a Félix en Cesarea.
Año 53-57 d. J.C.	Romanos	Cesarea. Pablo se defendió ante Félix, Festo y Agripa. Apeló para ser juzgado en Roma.
Año 53-57 d J.C.	Romanos	VIAJE A ROMA Creta. Pablo aconseja no navegar en el Mediterráneo. Una tormenta azota el barco en que viajaba Pablo.
Año 53-57 d. J.C.	Romanos	Malta. El barco que lleva a Pablo naufraga. Pablo y sus compañeros se quedan aquí durante el invierno.
Año 61 d. J.C.	Filemón Colosenses Efesios Filipenses	Roma. Pablo se aloja en una casa alquilada. Predica a judíos y gentiles. Esperó dos años para ser juzgado por Nerón.
Año 63 d. J. J.C.	1 Timoteo Tito	Liberado de la prisión. Ministerio en el Este.
Año 67 d. J.C.	2 Timoteo	Vuelta a la prisión.
Año 67 d. J.C.	2 Timoteo	El martirio.